手ぶり

C000295577

「あけまして
おめでとう　ございます」
「ちょっと　すみません」
「静かに！」
「いい　子ね」
「困ったなぁ」

「約束ね！」
「ジャンケンポン！」

Minna no Nihongo

みんなの日本語

初級Ⅱ本冊

スリーエーネットワーク

Published by 3A Corporation.
Shoei Bldg., 6-3, Sarugaku-cho 2-chome, Chiyoda-ku, Tokyo 101-0064, Japan

ISBN978-4-88319-103-1 C0081

First published 1998
Printed in Japan

まえがき

本書は、『みんなの日本語』という書名が示すように、初めて日本語を学ぶ人が、だれでも楽しく学べるよう、また教える人にとっても興味深く教えられるように3か年以上の年月をかけて企画・編集したもので、『新日本語の基礎』の姉妹編ともいうべき本格的な教科書です。

ご存じのように『新日本語の基礎』は技術研修生のために開発された教科書であるにもかかわらず、初級段階の日本語教材として、内容が十分整備され、短時日で日本語の会話を習得しようとする学習者にとって、学習効率が抜群によいところから、現在も国内はもちろん海外でも広く使われております。

さて、近年日本語教育はますます多様化してきております。国際関係の発展に伴い諸外国との人的交流が深まる中、さまざまな背景と目的を持つ外国人が日本の地域社会に受け入れられてきています。このような外国人の増加による日本語教育をめぐる社会環境の変化はまた、それぞれの日本語教育の現場にも影響を及ぼし、学習ニーズの多様化と、それらに対する個別の対応がもとめられています。

このような時期にあたり、スリーエーネットワークは、国の内外で長年にわたり日本語教育の実践に当たってこられた多くの方々のご意見とご要望にこたえて、『みんなの日本語』を出版することとなりました。すなわち、『みんなの日本語』は『新日本語の基礎』の特徴、学習項目と学習方法のわかりやすさを生かすとともに、会話の場面や登場人物など、学習者の多様化に対応して、より汎用性の高いものとするなど、国の内外のさまざまな学習者と地域の特性にも支障なく、日本語の学習が楽しく進められるように内容の充実と工夫を図りました。

『みんなの日本語』の対象は、職場、家庭、学校、地域などで日本語によるコミュニケーションを今すぐ必要としている外国人のみなさんです。初級の教材ですが、登場する外国人のみなさんと日本人の交流の場面には、できるだけ日本事情と日本人の社会生活・日常生活を反映させるようにしました。主として一般社会人を対象にしていますが、もちろん大学進学の予備課程、あるいは専門学校・大学での短期集中用教科書としてもお勧めできるものです。

なお、当社では学習者の多様性と現場の個々のニーズにこたえるため、今後も引き続き新しい学習教材を積極的に制作してまいりますので、変わらぬご愛顧をお願い申しあげます。

最後に、本書の編纂に当たりましては各方面からのご意見、授業での試用など、多大のご協力をいただきました。ここに深く感謝申し上げます。スリーエーネットワークはこれからも日本語学習教材の出版等を通じて、人と人とのネットワークを全世界に広げて行きたいと願っております。

どうか一層のご支援とご鞭撻をお願い申し上げます。

1998年6月

株式会社スリーエーネットワーク

代表取締役社長　小　川　　巖

凡例

Ⅰ．教科書の構成

『みんなの日本語 初級Ⅱ』は「本冊」、「翻訳・文法解説」、及び「カセットテープ」／「CD」よりなる。「翻訳・文法解説」は英語版をはじめとして全部で10ヵ国語が揃っている。この教科書は日本語を聞く、話すということを中心に構成されている。従って、ひらがな、かたかな、漢字などの文字の読み書き指導は含んでいない。

Ⅱ．教科書の内容及び使い方

1．「本冊」

1）本課

『みんなの日本語 初級Ⅰ』（全25課）に続く第26課から第50課までの構成で、内容は以下のように分けられる。

① 文型

その課で学ぶ基本文型が掲げてある。

② 例文

基本文型が実際にどのように用いられているかを質問及び答えという小さい談話の形で示した。また新出の副詞や接続詞などの使い方や基本文型以外の学習項目も示されている。

③ 会話

会話には日本で生活する外国人が登場し、様々な場面を繰り広げる。各課の学習内容に日常生活で使用されるあいさつ等の慣用表現を加えた。平易な会話であるから、全文暗記することが望ましい。余裕があれば、「翻訳・文法解説」中の参考語彙を利用して、会話を発展させ、幅広い会話力を身に付けてほしい。

④ 練習

練習はＡ、Ｂ、Ｃの三段階に分かれる。

練習Ａは文法的な構造を理解しやすいように、視覚的にレイアウトした。基本的な文型の定着を図るとともに、活用形の作り方、接続のし方などを学びやすく配慮した。

練習Bでは様々なドリル形式を用いて、基本文型の定着の強化を図る。指示された例に従って練習すること。☞の付いた番号は絵チャートを用いる練習を示す。

練習Cは文型が実際にどのような場面、状況の中で、その機能を果たすかを学び、発話力につなぐための短い会話ドリルである。単にリピートするだけでなく、モデル文の代入肢を変えたり、内容を膨らませたり、さらには場面を展開させたりする練習を試みてほしい。

⑤ 問題

問題には、聞き取り（ マークの箇所）問題、文法問題、及び読解問題がある。聞き取りはテープ／CDを聞いて、短い質問に答える問題と、短い会話のやりとりを聞いて要点を把握する問題とがある。これらは聞き取りの力の強化を図るために設けた。文法問題では、語彙や理解度を確認する。読解問題では既習事項を応用して、まとまった文を読み、理解する力をつける。

2）復習

数課ごとに学習事項の要点を整理するために設けた。

3）まとめ

「本冊」の終わりに、この教科書に提出された助詞や動詞のいろいろなフォームの使い方、副詞や接続詞などの文法事項を項目ごとにまとめ、例文を掲げた。

4）索引

第１課から第50課までの全新出語彙・表現等を、各々の初出課と共に示した。

2．「翻訳・文法解説」

1）第26課から第50課までの

① 新出語彙とその訳

② 文型、例文、会話の翻訳

③ その課の学習に役に立つ参考語彙と日本事情に関する簡単な紹介

④ 文型及び表現などに関する文法説明

2）「本冊」の終わりに掲げられた助詞、フォームの使い方、副詞及び接続詞などのまとめの翻訳

3．カセットテープ／CD

カセットテープ／CDには各課新出語彙、文型、例文、練習C、会話、問題の聞き取り部分が収録されている。語彙、文型、例文ではアクセント、イントネーションに注意して発音を学び、会話、練習Cでは自然な速さの日本語に慣れ、聞き取りの力を付けてほしい。

4．表記上の注意

1）漢字は原則として、「常用漢字表」による。

①「熟字訓」（2文字以上の漢字を組み合わせ、特別な読み方をするもの）のうち、「常用漢字表」の「付表」に示されるものは漢字で書いた。

例：　友達（ともだち）　果物（くだもの）　眼鏡（めがね）

② 国名・地名などの固有名詞、又は芸能・文化などの専門分野の語には、「常用漢字表」にない漢字や音訓も用いた。

例：　大阪（おおさか）　奈良（なら）　歌舞伎（かぶき）

2）「常用漢字表」及び「付表」に示される範囲で漢字を用い、振りがなを付けたが、学習者の読みやすさを配慮して、漢字を用いず、かな書きにしたものがある。

例：　ある（有る・在る）　たぶん（多分）　きのう（昨日）

3）数字は原則として算用数字を用いた。

例：　9時（じ）　4月1日（がつついたち）　1つ（ひと）

ただし、次のような場合は漢数字を用いた。

例：　一人（ひとり）で　一度（いちど）　一万円札（いちまんえんさつ）

5．その他

1）文中省略できる語句は[　　]でくくった。

例：　父（ちち）は　54[歳（さい）]です。

2）1つのものに違った表現がある場合はそれを（　　）でくくった。

例：　だれ（どなた）

3）「翻訳・文法解説」中、置き換えができる部分は、～で示した。

例：　～は　いかがですか。

ただし、置き換え部分が数字の場合は—で示した。

例：　—歳(さい)　—円(えん)　—時間(じかん)

学習者のみなさんへ
―効果的な学習法―

1．ことばをよく覚えます。

この教科書には各課ごとに新しいことばが提出されています。まず、テープ／CDを聞きながら、正しい発音とアクセントでことばをよく覚えます。出てきた新しいことばを使って、短い文を作る練習を必ずしてください。ことばだけではなく、フレーズによって覚えることが大切です。

2．文型の練習をします。

文型の正しい意味をとらえ、文の形がしっかり身につくまで「練習Ａ，Ｂ」で繰り返し練習してください。とくに「練習Ｂ」は実際に声を出して、練習することが大切です。

3．会話の練習をします。

文型練習の次は会話の練習です。「会話」は日本で生活する外国人が日常生活で遭遇するさまざまな場面を取り上げてあります。こうした会話に慣れるために、まず「練習Ｃ」でよく練習します。練習の際には、練習Ｃのパターンだけで終わらずに、もっと会話を続け、膨らませるようにしてください。さらに、「会話」の練習で場面や状況にふさわしいやり取りのこつを覚えてください。

4．テープ／CDを何度も聞きます。

練習Ｃ及び会話を練習する際には、正しい発音や抑揚などを身につけるために、テープ／CDを聞きながら、実際に声を出して練習します。また、日本語の音やスピードに慣れ、内容を聞き取る力を養うためにも、テープ／CDを何度も聞きます。

5．必ず復習・予習をします。

授業で習ったことを忘れないために、必ずその日のうちに復習をします。最後に「問題」で学んだことを確認し、聞き取りの力を試してください。

「読み物」はまとまった文章を理解する力をつけるための応用問題です。語彙を参照しながら、読んでください。

また、時間に余裕があれば、次に学習する課の語彙と文法を見ておきます。基本的な準備をしておけば、次の学習が効率的に行えます。

6．実際に話してみます。

教室の中だけが学習の場ではありません。学んだ日本語を使って、日本人に話しかけてみてください。習ったことを、すぐ使ってみる。それが上達への近道です。

以上のやり方で、この教科書の基本を終えると、日常生活に必要な基本語彙と基本的な表現が身につきます。

目次

ページ

『みんなの日本語 初級Ｉ 本冊』の内容

第 1 課

1．わたしは　マイク・ミラーです。
2．サントスさんは　学生じゃ　ありません。
3．ミラーさんは　会社員ですか。
4．サントスさんも　会社員です。

会話：初めまして

第 2 課

1．これは　辞書です。
2．これは　コンピューターの　本です。
3．それは　わたしの　傘です。
4．この　傘は　わたしのです。

会話：ほんの　気持ちです

第 3 課

1．ここは　食堂です。
2．電話は　あそこです。

会話：これを　ください

第 4 課

1．今　4時5分です。
2．わたしは　9時から　5時まで　働きます。
3．わたしは　朝　6時に　起きます。
4．わたしは　きのう　勉強しました。

会話：そちらは　何時から　何時までですか

第 5 課

1．わたしは　京都へ　行きます。
2．わたしは　タクシーで　うちへ　帰ります。
3．わたしは　家族と　日本へ　来ました。

会話：甲子園へ　行きますか

第 6 課

1．わたしは　ジュースを　飲みます。
2．わたしは　駅で　新聞を　買います。
3．いっしょに　神戸へ　行きませんか。
4．ちょっと　休みましょう。

会話：いっしょに　行きませんか

第 7 課

1．わたしは　ワープロで　手紙を　書きます。
2．わたしは　木村さんに　花を　あげます。
3．わたしは　カリナさんに　チョコレートを　もらいました。

会話：ごめんください

第　8　課

1．桜は　きれいです。

2．富士山は　高いです。

3．桜は　きれいな　花です。

4．富士山は　高い　山です。

会話：そろそろ　失礼します

第　9　課

1．わたしは　イタリア料理が　好きです。

2．わたしは　日本語が　少し　わかります。

3．きょうは　子どもの　誕生日ですから、早く　帰ります。

会話：残念です

第　10　課

1．あそこに　佐藤さんが　います。

2．机の　上に　写真が　あります。

3．家族は　ニューヨークに　います。

4．東京ディズニーランドは　千葉県に　あります。

会話：チリソースは　ありませんか

第　11　課

1．会議室に　テーブルが　7つ　あります。

2．わたしは　日本に　1年　います。

会話：これ、お願いします

第　12　課

1．きのうは　雨でした。

2．きのうは　寒かったです。

3．北海道は　九州より　大きいです。

4．わたしは　1年で　夏が　いちばん　好きです。

会話：お祭りは　どうでしたか

第　13　課

1．わたしは　パソコンが　欲しいです。

2．わたしは　てんぷらを　食べたいです。

3．わたしは　フランスへ　料理を　習いに　行きます。

会話：別々に　お願いします

第　14　課

1．ちょっと　待って　ください。

2．ミラーさんは　今　電話を　かけて　います。

会話：梅田まで　行って　ください

第　15　課

1．写真を　撮っても　いいです。

2．サントスさんは　パソコンを　持って　います。

会話：ご家族は？

第 16 課

1．朝　ジョギングを　して、シャワーを　浴びて、会社へ　行きます。

2．コンサートが　終わってから、レストランで　食事を　しました。

3．大阪は　食べ物が　おいしいです。

4．この　パソコンは　軽くて、便利です。

会話：使い方を　教えて　ください

第 17 課

1．ここで　写真を　撮らないで　ください。

2．パスポートを　見せなければ　なりません。

3．レポートは　出さなくても　いいです。

会話：どう　しましたか

第 18 課

1．ミラーさんは　漢字を　読む　ことが　できます。

2．わたしの　趣味は　映画を　見る　ことです。

3．寝る　まえに、日記を　書きます。

会話：趣味は　何ですか

第 19 課

1．相撲を　見た　ことが　あります。

2．休みの　日は　テニスを　したり、散歩に　行ったり　します。

3．これから　だんだん　暑く　なります。

会話：ダイエットは　あしたから　します

第 20 課

1．サントスさんは　パーティーに　来なかった。

2．日本は　物価が　高い。

3．沖縄の　海は　きれいだった。

4．きょうは　ぼくの　誕生日だ。

会話：夏休みは　どう　するの？

第 21 課

1．あした　雨が　降ると　思います。

2．首相は　来月　アメリカへ　行くと　言いました。

会話：わたしも　そう　思います

第 22 課

1．これは　ミラーさんが　作った　ケーキです。

2．あそこに　いる　人は　ミラーさんです。

3．きのう　習った　ことばを　忘れました。

4．買い物に　行く　時間が　ありません。

会話：どんな　アパートが　いいですか

第 23 課

1. 図書館で　本を　借りる　とき、カードが　要ります。
2. この　ボタンを　押すと、お釣りが　出ます。

会話：どうやって　行きますか

第 24 課

1. 佐藤さんは　わたしに　クリスマスカードを　くれました。
2. わたしは　木村さんに　本を　貸して　あげました。
3. わたしは　山田さんに　病院の　電話番号を　教えて　もらいました。
4. 母は　わたしに　セーターを　送って　くれました。

会話：手伝って　くれますか

第 25 課

1. 雨が　降ったら、出かけません。
2. 雨が　降っても、出かけます。

会話：いろいろ　お世話に　なりました

——会話の　登場人物——

マイク・ミラー

アメリカ、IMCの　社員

松本　正

日本、IMC（大阪）の　部長

中村　秋子

日本、IMCの　営業課長

鈴木　康男

日本、IMCの　社員

イー　ジンジュ

韓国、AKCの　研究者

タワポン

タイ、さくら大学の　学生

小川　よね

日本、小川　博の　母

小川　博

日本、マイク・ミラーの　隣人

小川　幸子

日本、主婦

カール・シュミット

ドイツ、パワー電気の　エンジニア

クララ・シュミット

ドイツ、ドイツ語の　教師

渡辺　あけみ

日本、パワー電気の　社員

高橋　透

日本、パワー電気の　社員

林　真紀子

日本、パワー電気の　社員

ジョン・ワット

イギリス、さくら大学の　英語の　教師

伊藤　ちせ子

日本、ひまわり小学校の　教師、
ハンス・シュミットの　担任

――その他の　登場人物――

ハンス

ドイツ、小学生　12歳、
カールと　クララ・シュミットの　息子

グプタ

インド、IMCの　社員

※IMC（コンピューターの　ソフトウェアの　会社）

※AKC（アジア研究センター）

第 26 課

文　型

1.　あしたから　旅行なんです。
2.　生け花を　習いたいんですが、いい　先生を　紹介して
　　いただけませんか。

例　文

1.　渡辺さんは　時々　大阪弁を　使いますね。
　　大阪に　住んで　いたんですか。
　　…ええ、15歳まで　大阪に　住んで　いました。

2.　おもしろい　デザインの　靴ですね。　どこで　買ったんですか。
　　…エドヤストアで　買いました。　スペインの　靴です。

3　どうして　遅れたんですか。
　　…バスが　来なかったんです。

4.　運動会に　参加しますか。
　　…いいえ、参加しません。　スポーツは　あまり　好きじゃ
　　　ないんです。

5.　日本語で　手紙を　書いたんですが、ちょっと　見て
　　いただけませんか。
　　…いいですよ。

6.　NHKを　見学したいんですが、どう　したら　いいですか。
　　…直接　行ったら　いいですよ。　いつでも　見る　ことが
　　　できます。

会話

どこに　ごみを　出したら　いいですか

管理人：　ミラーさん、引っ越しの　荷物は　片づきましたか。
ミラー：　はい、だいたい　片づきました。
　　　　　あのう、ごみを　捨てたいんですが、どこに　出したら
　　　　　いいですか。
管理人：　燃える　ごみは　月・水・金の　朝　出して　ください。
　　　　　ごみ置き場は　駐車場の　横です。
ミラー：　瓶や　缶は　いつですか。
管理人：　燃えない　ごみは　土曜日です。
ミラー：　はい、わかりました。　それから、お湯が　出ないんですが……。
管理人：　ガス会社に　連絡したら、すぐ　来て　くれますよ。
ミラー：　……困ったなあ。　電話が　ないんです。
　　　　　すみませんが、連絡して　いただけませんか。
管理人：　ええ、いいですよ。
ミラー：　すみません。　お願いします。

練習(れんしゅう)　A

1.

いく	んです
いかない	
いった	
いかなかった	

＊きれいな	んです
きれいじゃ　ない	
きれいだった	
きれいじゃ　なかった	

さむい	んです
さむくない	
さむかった	
さむくなかった	

＊びょうきな	んです
びょうきじゃ　ない	
びょうきだった	
びょうきじゃ　なかった	

2.

チケットが	いる	んですか。
新(あたら)しい　パソコンを	かった	
だれに　チョコレートを	あげる	
いつ　日本(にほん)へ	きた	

3.

どうして	会社(かいしゃ)を	やすんだ	んですか。
	この　辞書(じしょ)を	つかわない	
	エアコンを	つけない	

……	頭(あたま)が	いたかった	んです。
	あまり	べんりじゃ　ない	
		こしょうな	

4.

わたしは　運動会(うんどうかい)に　参加(さんか)しません。	福岡(ふくおか)へ	しゅっちょうする	んです。
	用事(ようじ)が	ある	
	都合(つごう)が	わるい	

5.

資料(しりょう)が	ほしい	んですが、	おくって	いただけませんか。
書(か)き方(かた)が	わからない		おしえて	
お寺(てら)を	けんがくしたい		あんないして	

6.

さくら大学(だいがく)へ	いきたい	んですが、	どこで	おりた	ら　いいですか。
車(くるま)の　かぎを	なくした		どう	した	
友達(ともだち)が	けっこんする		何(なに)を	あげた	

4

練習（れんしゅう） B

1. 例（れい）： 雨（あめ）が 降（ふ）って います → 雨（あめ）が 降（ふ）って いるんですか。
   1） 山（やま）へ 行（い）きます → 　　2） エレベーターに 乗（の）りません →
   3） シュミットさんが 作（つく）りました → 　　4） 気分（きぶん）が 悪（わる）いです →

2. 例（れい）： いい かばんです・どこで 買（か）いましたか
   → いい かばんですね。 どこで 買（か）ったんですか。
   1） おもしろい 絵（え）です・だれが かきましたか →
   2） ずいぶん にぎやかです・何（なに）を やって いますか →
   3） 日本語（にほんご）が 上手（じょうず）です・どのくらい 勉強（べんきょう）しましたか →
   4） 遅（おそ）かったです・どう しましたか →

3. 例（れい）： どこで 日本語（にほんご）を 習（なら）いましたか。（大学（だいがく））
   → どこで 日本語（にほんご）を 習（なら）ったんですか。
   ……大学（だいがく）で 習（なら）いました。
   1） この 写真（しゃしん）は どこで 撮（と）りましたか。（金閣寺（きんかくじ）） →
   2） いつ 引（ひ）っ越（こ）ししますか。（来月（らいげつ）の 3日（みっか）） →
   3） だれに その 話（はなし）を 聞（き）きましたか。（田中（たなか）さん） →
   4） 何（なに）を 捜（さが）して いますか。（ホッチキス） →

4. 例（れい）： 会社（かいしゃ）を やめます（父（ちち）の 仕事（しごと）を 手伝（てつだ）います）
   → どうして 会社（かいしゃ）を やめるんですか。
   ……父（ちち）の 仕事（しごと）を 手伝（てつだ）うんです。
   1） 引（ひ）っ越（こ）しします（今（いま）の うちは 狭（せま）いです） →
   2） 社員旅行（しゃいんりょこう）に 行（い）きません（グループ旅行（りょこう）は 好（す）きじゃ ありません） →
   3） 会議（かいぎ）に 間（ま）に 合（あ）いませんでした（新幹線（しんかんせん）が 遅（おく）れました） →
   4） 5月5日（がついつか）は 休（やす）みです（こどもの 日（ひ）です） →

5. 例1： 毎朝 新聞を 読みますか。(いいえ・時間が ありません)
→ いいえ、読みません。 時間が ないんです。
例2： ビールは いかがですか。(すみません・きょうは 車で 来ました)
→ すみません。 きょうは 車で 来たんです。
1) よく 図書館へ 行きますか。
(いいえ、あまり・遠いです) →
2) きのうの パーティーで 鈴木さんに 会いましたか。
(いいえ・鈴木さんは パーティーに 来ませんでした) →
3) たばこを 吸っても いいですか。
(すみません・ここは 禁煙です) →
4) これから 飲みに 行きませんか。
(すみません・きょうは ちょっと 約束が あります) →

6. 例： 生け花を 習いたいです・先生を 紹介します
→ 生け花を 習いたいんですが、先生を 紹介して いただけませんか。
1) 市役所へ 行きたいです・地図を かきます →
2) 今度の 日曜日に うちで パーティーを します・手伝いに 来ます →
3) 時刻表の 見方が わかりません・教えます →
4) 日本語で 手紙を 書きました・ちょっと 見ます →

7. 例： 金閣寺へ 行きたいです・どの バスに 乗りますか
→ 金閣寺へ 行きたいんですが、どの バスに 乗ったら いいですか。
1) 歌舞伎を 見たいです・どこで チケットを 買いますか →
2) 電話番号が わかりません・どうやって 調べますか →
3) 空港へ 友達を 迎えに 行きます・何で 行きますか →
4) ファクスが 故障です・どう しますか →

練習(れんしゅう) C

1. A： ①パーティーは　どうでしたか。
   B： とても　楽(たの)しかったです。
   どうして　参加(さんか)しなかったんですか。
   A： ②忙(いそが)しかったんです。

   1) ① 運動会(うんどうかい)
      ② 体(からだ)の　調子(ちょうし)が　悪(わる)かったです
   2) ① 社員旅行(しゃいんりょこう)
      ② ちょっと　用事(ようじ)が　ありました

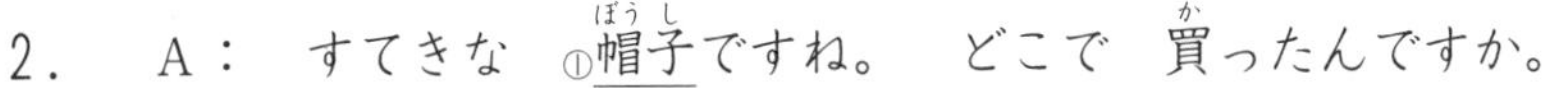

2. A： すてきな　①帽子(ぼうし)ですね。　どこで　買(か)ったんですか。
   B： これですか。　エドヤストアで　買(か)いました。
   A： わたしも　そんな　①帽子(ぼうし)を　探(さが)して　いるんです。
   すみませんが、②店(みせ)の　場所(ばしょ)を　教(おし)えて　いただけませんか。
   B： ええ、いいですよ。

   1) ① セーター
      ② 店(みせ)の　地図(ちず)を　かきます
   2) ① 靴(くつ)
      ② 一度(いちど)　連(つ)れて　行(い)きます

3. A： ①新聞社(しんぶんしゃ)を　見学(けんがく)したいんですが、どう　したら　いいですか。
   B： ②直接(ちょくせつ)　電話(でんわ)で　申(もう)し込(こ)んだら　いいと　思(おも)いますよ。
   A： そうですか。　どうも。

   1) ① ボランティアに　参加(さんか)します
      ② 市役所(しやくしょ)に　登録(とうろく)します
   2) ① 柔道(じゅうどう)を　習(なら)います
      ② 山下(やました)さんに　聞(き)きます

問題

26

1.　1）＿＿＿＿＿＿＿＿＿＿＿＿＿＿＿＿＿＿＿＿＿＿＿＿＿＿＿＿＿＿
　　2）＿＿＿＿＿＿＿＿＿＿＿＿＿＿＿＿＿＿＿＿＿＿＿＿＿＿＿＿＿＿
　　3）＿＿＿＿＿＿＿＿＿＿＿＿＿＿＿＿＿＿＿＿＿＿＿＿＿＿＿＿＿＿
　　4）＿＿＿＿＿＿＿＿＿＿＿＿＿＿＿＿＿＿＿＿＿＿＿＿＿＿＿＿＿＿
　　5）＿＿＿＿＿＿＿＿＿＿＿＿＿＿＿＿＿＿＿＿＿＿＿＿＿＿＿＿＿＿

2.　1）（　　）　2）（　　）　3）（　　）　4）（　　）　5）（　　）

3.　例：　あまり　食べませんね。気分が　（　悪いんです　）か。

~~悪いです~~　　好きです　　ありません　　ありました　　生まれました

1）　遅かったですね。何か　（　　　　　　）か。
2）　いつも　車で　買い物に　行きますね。近くに　スーパーは（　　　　　　）か。
3）　時々　大阪弁を　使いますね。大阪で　（　　　　　　）か。
4）　いつも　帽子を　かぶって　いますね。帽子が　（　　　　　　）か。

8

4.　例：　日本語が　上手ですね。どのくらい　勉強したんですか。
　　　…4年　勉強しました。
1）　いい　ネクタイですね。＿＿＿＿＿＿＿＿＿＿＿＿＿＿。
　　　…エドヤストアで　買いました。
2）　テレサちゃん、誕生日　おめでとう　ございます。
　　　＿＿＿＿＿＿＿＿＿＿＿＿＿＿＿＿＿＿＿＿＿＿。
　　　…10歳に　なりました。
3）　カリナさんが　国へ　帰ると、寂しく　なりますね。
　　　＿＿＿＿＿＿＿＿＿＿＿＿＿＿＿＿＿＿＿＿＿＿。
　　　…来月の　4日です。
4）　たくさん　ビールを　買いましたね。
　　　きょうの　パーティーは　＿＿＿＿＿＿＿＿＿＿＿＿。
　　　…50人ぐらい　来ます。

5.　例1：　どうして　遅れたんですか。
　　　…バスが　なかなか　来なかったんです。

例2：　スキー旅行に　参加しますか。

　　…いいえ。ちょっと　都合が　悪いんです。

1）　どうして　ビールを　飲まないんですか。

　　…＿＿＿＿＿＿＿＿＿＿＿＿＿＿＿＿。

2）　目が　赤いですね。どう　したんですか。

　　…＿＿＿＿＿＿＿＿＿＿＿＿＿＿＿＿。

3）　毎朝　新聞を　読みますか。

　　…いいえ。＿＿＿＿＿＿＿＿＿＿＿＿＿＿。

4）　よく　カラオケに　行きますか。

　　…いいえ。＿＿＿＿＿＿＿＿＿＿＿＿＿＿。

6.　例1：　パソコンの　調子が　悪いんですが、見て　いただけませんか。

　　例2：　パソコンを　買いたいんですが、どこで　買ったら　いいですか。

~~見ます~~　手伝います　教えます　申し込みます　~~買います~~　します

1）　来週の　日曜日　引っ越しするんですが、＿＿＿＿＿＿＿＿。

2）　歯が　痛いんですが、いい　歯医者を　＿＿＿＿＿＿＿＿。

3）　新聞社を　見学したいんですが、どこに　＿＿＿＿＿＿＿＿。

4）　パスポートを　なくしたんですが、どう　＿＿＿＿＿＿＿＿。

7.

電子メールで

土井隆雄様

　お帰りなさい。　宇宙は　どうでしたか。　船の　外は　怖くなかったですか。　宇宙船の　中は　狭くて、いろいろな　機械が　ありますが、食事は　別の　部屋で　するんですか。　シャワーを　浴びる　ことは　できるんですか。　宇宙は　いつも　暗いですが、朝と　夜は　どうやって　わかるんですか。　時間は　日本や　アメリカの　時間じゃなくて、宇宙時間を　使うんですか。

　僕も　宇宙飛行士に　なりたいんですが、どんな　勉強を　したら　いいですか。　教えて　ください。

例：（　○　）土井さんは　宇宙飛行士です。

1）（　　）土井さんは　宇宙へ　行って、宇宙船の　外へ　出ました。

2）（　　）電子メールを　送った　人は　宇宙に　ついて　研究して　います。

第27課

文型

1. わたしは 日本語が 少し 話せます。
2. 山の 上から 町が 見えます。
3. 駅の 前に 大きい スーパーが できました。

例文

1. 日本語の 新聞が 読めますか。
…いいえ、読めません。

2. パワー電気では 夏休みは 何日ぐらい 取れますか。
…そうですね。 3週間ぐらいです。
いいですね。 わたしの 会社は 1週間しか 休めません。

3. この マンションで ペットが 飼えますか。
…小さい 鳥や 魚は 飼えますが、犬や 猫は 飼えません。

4. 東京から 富士山が 見えますか。
…昔は よく 見えましたが、今は ほとんど 見えません。

5. 鳥の 声が 聞こえますね。
…ええ。 もう 春ですね。

6. 関西空港は いつ できましたか。
…1994年の 秋に できました。

7. すてきな かばんですね。 どこで 買ったんですか。
…通信販売で 買いました。
デパートにも ありますか。
…デパートには ないと 思いますよ。

会　話

何でも　作れるんですね

鈴　木：　明るくて、いい　部屋ですね。

ミラー：　ええ。　天気が　いい　日には　海が　見えるんです。

鈴　木：　この　テーブルは　おもしろい　デザインですね。
　　　　　アメリカで　買ったんですか。

ミラー：　これは　わたしが　作ったんですよ。

鈴　木：　えっ、ほんとうですか。

ミラー：　ええ。　日曜大工が　趣味なんです。

鈴　木：　へえ。　じゃ、あの　本棚も　作ったんですか。

ミラー：　ええ。

鈴　木：　すごいですね。　ミラーさん、何でも　作れるんですね。

ミラー：　わたしの　夢は　いつか　自分で　家を　建てる
　　　　　ことなんです。

鈴　木：　すばらしい　夢ですね。

練習(れんしゅう) A

1.

		可能(かのう)
I	ひ き ます	ひ け ます
	およ ぎ ます	およ げ ます
	よ み ます	よ め ます
	あそ び ます	あそ べ ます
	はし り ます	はし れ ます
	うた い ます	うた え ます
	も ち ます	も て ます
	なお し ます	なお せ ます

		可能(かのう)
II	たて ます	たて られ ます
	おぼえ ます	おぼえ られ ます
	おり ます	おり られ ます

		可能(かのう)
III	き ます	こられ ます
	し ます	*でき ます

2.

わたしは	はし	が	つかえます。
	きもの		きられます。

3.

わたしは		にほんご	しか	わかりません。
	日本語(にほんご)が	すこし		はなせません。
	きのう　日本語(にほんご)を	1じかん		べんきょうしませんでした。

4.

ひらがな	は	かけます	が、	かんじ	は	かけません。
やきゅう		できます		テニス		できません。

5.

窓(まど)から	やま	が	みえます。
波(なみ)の	おと		きこえます。

6.

大(おお)きい	はし	が	できました。
	ばんごはん		

7.

わたしの	学校(がっこう)	に	は	アメリカ人(じん)の　先生(せんせい)が　います。
		で		フランス語(ご)を　勉強(べんきょう)しなければ　なりません。
		から		海(うみ)と　山(やま)が　見(み)えます。

弟(おとうと)の	学校(がっこう)	に	も	アメリカ人(じん)の　先生(せんせい)が　います。
		で		フランス語(ご)を　勉強(べんきょう)しなければ　なりません。
		から		海(うみ)と　山(やま)が　見(み)えます。

練習　B

1．　例：　日本料理を　作ります　→　日本料理が　作れます。
　1）　漢字を　読みます　→
　2）　自転車を　修理します　→
　3）　ここに　車を　止めます　→
　4）　どこでも　一人で　行きます　→

2．　例：　約束が　あります・きょうは　飲みに　行きません
　　　→　約束が　ありますから、きょうは　飲みに　行けません。
　1）　おなかの　調子が　悪いです・あまり　食べません　→
　2）　足が　痛いです・走りません　→
　3）　中国へ　2か月　出張します・来月は　会いません　→
　4）　お金が　足りませんでした・パソコンを　買いませんでした　→

3．　例：　どこで　安い　ビデオを　買いますか。（秋葉原）
　　　→　どこで　安い　ビデオが　買えますか。
　　　　……秋葉原で　買えます。
　1）　いつから　富士山に　登りますか。（7月1日）　→
　2）　どこで　お金を　換えますか。（銀行や　ホテル）　→
　3）　何日　本を　借りますか。（2週間）　→
　4）　この　デパートでは　何時まで　買い物しますか。（夜　7時半）　→

4．　例：　音が　小さいです・よく　聞こえません
　　　→　音が　小さいですから、よく　聞こえません。
　1）　海が　近いです・波の　音が　聞こえます　→
　2）　天気が　よかったです・景色が　よく　見えました　→
　3）　はっきり　見えません・もう　少し　前に　座りましょう　→
　4）　うしろまで　聞こえません・もう　少し　大きい　声で　話して
　　　いただけませんか　→

5. 例(れい)： ここに 何(なに)が できますか。(美術館(びじゅつかん)) → 美術館(びじゅつかん)が できます。

1） 駅(えき)の 前(まえ)に 何(なに)が できますか。(クリーニング屋(や)) →

2） 写真(しゃしん)は いつ できますか。(午後(ごご) 5時(じ)) →

3） 空港(くうこう)は どこに できましたか。(大阪(おおさか)の 近(ちか)く) →

4） 友達(ともだち)が できましたか。(はい、たくさん) →

6. 例(れい)： お酒(さけ)は 少(すこ)しだけ 飲(の)めます → お酒(さけ)は 少(すこ)ししか 飲(の)めません。

1） ひらがなだけ 書(か)けます →

2） 50メートルだけ 泳(およ)げます →

3） この 会社(かいしゃ)に 外国人(がいこくじん)は 3人(にん)だけ います →

4） 毎日(まいにち) 4時間(じかん)だけ 寝(ね)ます →

7. 例(れい)： この マンションで ペットが 飼(か)えますか。
(小(ちい)さい 鳥(とり)・犬(いぬ)や 猫(ねこ))
→ 小(ちい)さい 鳥(とり)は 飼(か)えますが、犬(いぬ)や 猫(ねこ)は 飼(か)えません。

1） 外国語(がいこくご)が 話(はな)せますか。(英語(えいご)・ほかの ことば) →

2） 日本料理(にほんりょうり)は 何(なん)でも 食(た)べられますか。(てんぷらや すき焼(や)き・すし)
→

3） 部屋(へや)から 山(やま)や 海(うみ)が 見(み)えますか。(山(やま)・海(うみ)) →

4） この 週末(しゅうまつ)は 休(やす)めますか。(日曜日(にちようび)・土曜日(どようび)) →

8. 例(れい)1： パーティーで 田中(たなか)さんに 会(あ)いましたか。(はい・山田(やまだ)さん)
→ はい、会(あ)いました。 山田(やまだ)さんにも 会(あ)いましたよ。

例(れい)2： パーティーで 田中(たなか)さんに 会(あ)いましたか。(いいえ)
→ いいえ、田中(たなか)さんには 会(あ)いませんでした。

1） ここから お祭(まつ)りの 花火(はなび)が 見(み)えますか。(はい・あそこ) →

2） あの スーパーで ワインを 売(う)って いますか。(いいえ) →

3） 2階(かい)に 飲(の)み物(もの)の 自動販売機(じどうはんばいき)が ありますか。(はい・1階(かい)) →

4） この 電話(でんわ)で 外国(がいこく)に かけられますか。(いいえ) →

練習　C

1.　A：　あのう、こちらで　①料理教室が　開けますか。

　　B：　ええ。　3階に　②台所が　あります。

　　A：　③道具も　借りられますか。

　　B：　ええ、③借りられます。

　　1）　①　パーティーを　します
　　　　②　パーティールーム
　　　　③　カラオケも　使います

　　2）　①　会議室を　借ります
　　　　②　会議室
　　　　③　コピーも　します

2.　A：　先月　引っ越ししました。

　　B：　えっ、どこですか。

　　A：　伊豆です。

　　B：　いいですね。　①富士山が　見えるでしょう？

　　A：　②天気が　いい　日には　①見えますが、
　　　　③雨の　日には　ほとんど　①見えません。

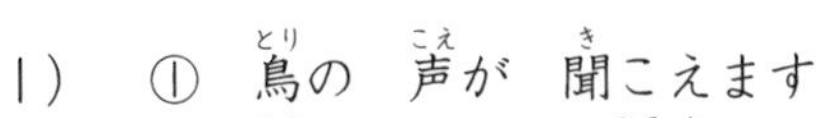

　　1）　①　鳥の　声が　聞こえます
　　　　②　朝　　　③　昼間

　　2）　①　海が　見えます
　　　　②　近くの　山から　③　わたしの　うちから

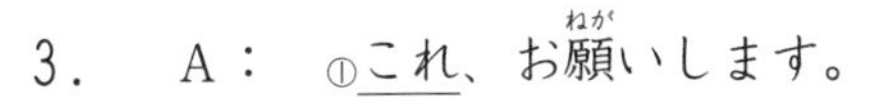

3.　A：　①これ、お願いします。

　　B：　はい。

　　A：　いつ　できますか。

　　B：　②3時ごろ　できます。

　　A：　じゃ、よろしく　お願いします。

　　1）　①　靴の　修理　　②　1時間後に

　　2）　①　クリーニング　②　水曜日に

問題

1.　1）＿＿＿＿＿＿＿＿＿＿＿＿＿＿＿＿

　　2）＿＿＿＿＿＿＿＿＿＿＿＿＿＿＿＿

　　3）＿＿＿＿＿＿＿＿＿＿＿＿＿＿＿＿

　　4）＿＿＿＿＿＿＿＿＿＿＿＿＿＿＿＿

　　5）＿＿＿＿＿＿＿＿＿＿＿＿＿＿＿＿

2.　1）（　　）　2）（　　）　3）（　　）　4）（　　）　5）（　　）

3.

例：行きます	行けます	行ける	7）呼びます		
1）書きます			8）買います		
2）泳ぎます			9）食べます		
3）話します			10）寝ます		
4）勝ちます			11）降ります		
5）飲みます			12）来ます		
6）帰ります			13）します		

4.　例：　簡単な　日本料理を　作る　ことが　できます

　　　→　簡単な　日本料理が　作れます。

　1）　パソコンを　使う　ことが　できます　→　＿＿＿＿＿＿＿＿。

　2）　カードで　払う　ことが　できます　→　＿＿＿＿＿＿＿＿。

　3）　日本人の　名前を　すぐ　覚える　ことが　できません　→　＿＿＿＿。

　4）　長い　休みを　取る　ことが　できませんでした　→　＿＿＿＿＿＿。

5.　例：　テレビで　映画を　見ますか。（ニュース）

　　　…いいえ、ニュースしか　見ません。

　1）　スポーツは　何でも　しますか。（テニス）…＿＿＿＿＿＿＿＿。

　2）　土曜日も　休めますか。（日曜日）…＿＿＿＿＿＿＿＿＿＿。

　3）　きのうは　よく　寝られましたか。（少し）…＿＿＿＿＿＿＿＿。

　4）　外国人の　先生を　みんな　知って　いますか。（ワット先生）

　　　…＿＿＿＿＿＿＿＿＿＿＿＿＿＿＿＿＿＿。

6．例：本や　雑誌が　借りられますか。（本、雑誌）

…本は　借りられますが、雑誌は　借りられません。

1）犬や　猫が　好きですか。（犬、猫）

…＿＿＿＿＿＿＿＿＿＿＿＿＿＿＿＿＿＿＿＿＿＿＿＿。

2）お酒は　何でも　飲めますか。（ビール、ワイン）

…＿＿＿＿＿＿＿＿＿＿＿＿＿＿＿＿＿＿＿＿＿＿＿＿。

3）家族に　彼の　ことを　話しましたか。（姉、両親）

…＿＿＿＿＿＿＿＿＿＿＿＿＿＿＿＿＿＿＿＿＿＿＿＿。

4）富士山には　いつでも　登れますか。（7月と　8月、9月から　6月まで）

…＿＿＿＿＿＿＿＿＿＿＿＿＿＿＿＿＿＿＿＿＿＿＿＿。

7．例：ミラーさんは　自分で　うち（を）　建てる　ことが　できます。

1）山の　上（　　）　海（　　）　見えます。

2）電話番号（　　）　知って　いますが、住所（　　）　知りません。

3）学校の　近く（　　）　パチンコ屋（　　）　できました。

4）空港へは　電車で　行けますか。…ええ、バスで（　　）　行けますよ。

8．

ドラえもん

これは　「ドラえもん」です。　日本の　子どもたちは　ドラえもんが　大好きです。　漫画の　主人公で、猫の　形の　ロボットです。

ドラえもんは　不思議な　ポケットを　持って　いて、いろいろな　物が　出せます。　例えば、「タケコプター」や「タイムテレビ」です。　「タケコプター」を　頭に　付けると、自由に　空を　飛べます。　「タイムテレビ」では　昔の　自分や　将来の　自分が　見られます。

わたしが　いちばん　欲しい　物は　「どこでもドア」です。　この　ドアを　開けると、どこでも　行きたい　所へ　行けます。　皆さん、もし　ドラえもんに　会えたら、どんな　物を　出して　もらいたいですか。

1）（　　）ドラえもんは　動物です。

2）（　　）ドラえもんは　ポケットから　便利な　物を　出します。

3）（　　）空を　飛びたい　とき、「タケコプター」に　乗ります。

4）（　　）「どこでもドア」が　あったら、どこでも　行けます。

第28課

文型

1. 音楽を　聞きながら　食事します。
2. 毎朝　ジョギングを　して　います。
3. 地下鉄は　速いし、安いし、地下鉄で　行きましょう。

例文

1. 眠い　とき、ガムを　かみながら　運転します。
   …そうですか。　わたしは　車を　止めて、しばらく　寝ます。

2. 太郎、テレビを　見ながら　勉強しては　いけませんよ。
   …はい。

3. 彼は　働きながら　大学で　勉強して　います。
   …そうですか。　偉いですね。

4. 休みの　日は　いつも　何を　して　いますか。
   …そうですね。　たいてい　絵を　かいて　います。

5. ワット先生は　熱心だし、まじめだし、それに　経験も　あります。
   …いい　先生ですね。

6. 田中さんは　よく　旅行を　しますが、外国へは　行きませんね。
   …ええ。　ことばも　わからないし、習慣も　違うし、外国旅行は　大変ですよ。

7. どうして　さくら大学を　選んだんですか。
   …さくら大学は　父が　出た　大学だし、いい　先生も　多いし、それに　家から　近いですから。

会　話

お茶でも　飲みながら……

小川幸子：　ミラーさん、ちょっと　お願いが　あるんですが。

ミラー　：　何ですか。

小川幸子：　息子に　英語を　教えて　いただけませんか。
夏休みに　オーストラリアへ　ホームステイに　行くんですが、
会話が　できないんですよ。

ミラー　：　教えて　あげたいんですけど、ちょっと　時間が……。

小川幸子：　お茶でも　飲みながら　おしゃべりして　いただけませんか。

ミラー　：　うーん、出張も　多いし、もうすぐ　日本語の　試験も
あるし……。
それに　今まで　教えた　ことが　ありませんから……。

小川幸子：　だめですか。　じゃ、残念ですが……。

ミラー　：　どうも　すみません。

練習(れんしゅう) A

1.

写真(しゃしん)を	みせ	ながら	説明(せつめい)します。
ガムを	かみ		先生(せんせい)の　話(はなし)を　聞(き)いては　いけません。
日本(にほん)で	はたらき		日本語(にほんご)を　勉強(べんきょう)して　います。
大学(だいがく)で	おしえ		研究(けんきゅう)して　います。

2.

休(やす)みの　日(ひ)は	テニスを	して	います。
	テレビや　ビデオを	みて	
	絵(え)を　かいたり、娘(むすめ)と　買(か)い物(もの)に　行(い)ったり	して	

3.

鈴木(すずき)さんは	ピアノも	ひける	し、	ダンスも	できる	し、それに
		わかい		体(からだ)も	おおきい	
		まじめだ		中国語(ちゅうごくご)も	じょうずだ	

歌(うた)も　歌(うた)えます。
力(ちから)も　強(つよ)いです。
経験(けいけん)も　あります。

4.

値段(ねだん)も	やすい	し、	味(あじ)も	いい	し、いつも　この　店(みせ)で
すしも	ある		カレーライスも	ある	
駅(えき)から	ちかい		車(くるま)でも	こられる	

食(た)べて　います。

5. どうして　この　会社(かいしゃ)に　入(はい)ったんですか。

……	残業(ざんぎょう)も	ない	し、それに	ボーナスも	おおいです	から。
	会社(かいしゃ)も	あたらしい		社長(しゃちょう)も	わかいです	
		ゆうめいだ		給料(きゅうりょう)も	たかいです	

練習 B

1. 例： → 音楽を 聞きながら 運転します。

1) → 　2) → 　3) → 　4) →

2. 例： 歩きます・話しませんか → 歩きながら 話しませんか。

1) 話を 聞きます・メモして ください →
2) 運転します・電話を しないで ください →
3) お茶を 飲みます・話しましょう →
4) ピアノを 弾きます・歌えますか →

3. 例： 暇な とき、いつも 何を して いますか。
(絵を かきます) → 絵を かいて います。

1) いつも どんな 番組を 見て いますか。
(ニュースや ドラマ) →
2) 休みの 日は いつも 何を して いますか。
(子どもと 遊んだり、買い物に 行ったり します) →
3) いつも 何で 学校に 通って いますか。
(自転車) →
4) 毎朝 電車の 中で 何を して いますか。
(音楽を 聞きながら 本を 読みます) →

28

28

4.　例：　この　車は　形が　いいです・色が　きれいです・値段が　そんなに高くないです
→　この　車は　形も　いいし、色も　きれいだし、それに　値段も　そんなに　高くないです。
1）　北海道は　涼しいです・景色が　きれいです・食べ物が　おいしいです　→
2）　この　カメラは　小さいです・軽いです・使い方が　簡単です　→
3）　あの　クリーニング屋は　安いです・速いです・上手です　→
4）　新しい　課長は　優しいです・ユーモアが　あります・話が　上手です　→

5.　例：　熱が　あります・頭が　痛いです・きょうは　会社を　休みます
→　熱も　あるし、頭も　痛いし、きょうは　会社を　休みます。
1）　この　店は　安いです・品物が　多いです・いつも　ここで　買い物します　→
2）　あしたは　休みです・用事が　ありません・うちで　ゆっくり　ビデオを　見ます　→
3）　デザインが　すてきです・サイズが　ちょうど　いいです・この　靴を　買います　→
4）　この　マンションは　管理人が　いません・駐車場が　ありません・不便です　→

6.　例：　どうして　あの　パン屋は　よく　売れるんですか。
（おいしいです・安いです）　→　おいしいし、安いですから。
1）　どうして　あの　歌手は　人気が　あるんですか。
（声が　いいです・ダンスが　上手です）　→
2）　どうして　スポーツを　しないんですか。
（体が　弱いです・あまり　好きじゃ　ありません）　→
3）　どうして　医者に　なったんですか。
（父が　医者です・大切な　仕事だと　思いました）　→
4）　どうして　外国旅行に　行かないんですか。
（お金が　ありません・飛行機が　嫌いです）　→

練習　C

1．　A：　将来の　夢は　何ですか。

B：　そうですね。　いつか　①コンピューターの　会社を　作りたいです。

A：　すごいですねえ。

B：　それで　今は　②会社で　働きながら　③夜　大学で　勉強して　います。

A：　そうですか。　頑張って　ください。

1）　①　小説家に　なります

②　アルバイトを　します

③　小説を　書きます

2）　①　自分の　店を　持ちます

②　レストランで　働きます

③　料理の　勉強を　します

2．　A：　よく　この　喫茶店に　来るんですか。

B：　ええ。　ここは　①コーヒーも　おいしいし、②食事も　できるし……。

A：　それで　人が　多いんですね。

1）　①　店が　きれいです

②　サービスが　いいです

2）　①　値段が　安いです

②　いい　音楽が　聞けます

3．　A：　これから　いっしょに　飲みに　行きませんか。

B：　すみません。　きょうは　ちょっと……。
きのうも　飲んだし、それに　あした
大阪に　出張ですから。

A：　そうですか。　残念ですね。

1）　疲れました

2）　体の　調子が　あまり
よくないです

問題(もんだい)

1. 1) ______________________
   2) ______________________
   3) ______________________
   4) ______________________

2. 1)（　　） 2)（　　） 3)（　　） 4)（　　） 5)（　　）

3. 例(れい)：　アイスクリームを　食(た)べながら　歩(ある)きます。

1) ______________。 2) ______________。
3) ______________。 4) ______________。

4. 例(れい)：　日曜日(にちようび)は　いつも　9時(じ)ごろまで　（ 寝(ね)て　います ）が、きょうは　用事(ようじ)が　ありましたから、6時(じ)に　（ 起(お)きました ）。

~~起(お)きます~~	買(か)います	飲(の)みます	食(た)べます	歩(ある)きます
行(い)きます	乗(の)ります	泳(およ)ぎます	~~寝(ね)ます~~	ジョギングします

1) 魚(さかな)は　いつも　近(ちか)くの　スーパーで　（　　　　　）が、きのうは　休(やす)みでしたから、ほかの　店(みせ)へ　（　　　　　）。
2) いつも　駅(えき)まで　（　　　　　）が、けさは　時間(じかん)が　ありませんでしたから、タクシーに　（　　　　　）。
3) 天気(てんき)が　いい　日(ひ)は　毎朝(まいあさ)　（　　　　　）が、雨(あめ)の　日(ひ)は　プールで　（　　　　　）。
4) 毎朝(まいあさ)　パンを　（　　　　　）が、けさは　コーヒーしか　（　　　　　）。

5. 例：　あの　レストランは　（　おいしい　）し、（　安い　）し、それに
サービスも　いいです。

~~おいしい~~	簡単	広い	軽い
優しい	~~安い~~	静か	頭が　いい

1）　この　カメラは　（　　　）し、使い方も　（　　　）し、それに
安いです。

2）　わたしの　マンションは　（　　　）し、（　　　）し、それに
新しいです。

3）　彼は　（　　　）し、（　　　）し、それに　料理も　上手です。

6. 例：　コーヒーも　おいしいし、サービスも　いいし、（　d　）。

a．学生に　人気が　あります	b．ここに　引っ越ししたいです
c．きょうは　早く　帰ります	d．いつも　この　店へ　来ます

1）　交通も　便利だし、静かだし、（　　　　）。

2）　疲れたし、あしたは　早く　出かけなければ　ならないし、（　　　　）。

3）　あの　先生は　おもしろいし、熱心だし、（　　　　）。

7. 留学生パーティーの　お知らせ

日本の　学生と　いっしょに　パーティーを　します。いろいろな国の　料理を　食べながら　日本人と　友達に　なりましょう。カラオケも　あるし、ダンスも　できるし、すてきな　プレゼントもあります。皆さん、ぜひ　参加して　ください。

日にち　　12月3日（土）　午後　4時～8時

場所　　さくら大学体育館

※　パーティーは　無料です。

1）（　　）この　パーティーは　大学の　体育館で　します。

2）（　　）参加する　人は　お金を　払います。

3）（　　）日本料理を　作って、食べる　パーティーです。

4）（　　）カラオケや　ダンスが　できます。

28

第29課

文型

1.　窓が　閉まって　います。
2.　この　自動販売機は　壊れて　います。
3.　電車に　傘を　忘れて　しまいました。

例文

1.　会議室の　かぎが　掛かって　いますね。
…じゃ、渡辺さんに　言って、開けて　もらいましょう。

2.　この　ファクス、使っても　いいですか。
…それは　故障して　いますから、あちらのを　使って　ください。

3.　シュミットさんが　持って　来た　ワインは　どこですか。
…みんなで　全部　飲んで　しまいました。

4.　昼ごはんを　食べに　行きませんか。
…すみません。　この　手紙を　書いて　しまいますから、お先に　どうぞ。

5.　新幹線に　間に　合いましたか。
…いいえ。　道が　込んで　いましたから、遅れて　しまいました。

6.　切符を　なくして　しまったんですが、どう　したら　いいですか。
…あそこに　いる　駅員に　言って　ください。

会話

忘れ物を　して　しまったんです

イー：　すみません。　今の　電車に　忘れ物を　して　しまったんですが……。

駅員：　何を　忘れたんですか。

イー：　青い　かばんです。　このくらいの……。
　　　　外側に　大きい　ポケットが　付いて　います。

駅員：　どの　辺ですか。

イー：　よく　覚えて　いません。　でも、網棚の　上に　置きました。

駅員：　中に　何が　入って　いますか。

イー：　えーと、確か　本と　傘が　入って　います。

駅員：　じゃ、すぐ　連絡しますから、ちょっと　待って　いて　ください。

駅員：　ありましたよ。

イー：　ああ、よかった。

駅員：　今　四ツ谷駅に　ありますが、どう　しますか。

イー：　すぐ　取りに　行きます。

駅員：　じゃ、四ツ谷駅の　事務所へ　行って　ください。

イー：　はい。　どうも　ありがとう　ございました。

29

練習（れんしゅう） A

1.

ドア	が	あいて	います。
くるま		とまって	
ガラス		われて	

2.

8じはんの　でんしゃ	は	こんで	います。
この　ふくろ		やぶれて	
この　エレベーター		こしょうして	

3.

この　ざっし	は　全部（ぜんぶ）	よんで	しまいました。
けさ　かった　パン		たべて	
かんじの　しゅくだい		やって	

4.

どこかで　財布（さいふ）を	おとして	しまいました。
電話番号（でんわばんごう）を	まちがえて	
パソコンが	こわれて	

練習　B

1.　例：　→　窓が　開いて　います。

1）　→　　2）　→　　3）　→　　4）　→

5）　→　　6）　→　　7）　→

2.　例1：　エアコンが　消えます・つけて　ください

→　エアコンが　消えて　いますから、つけて　ください。

例2：　エアコンが　つきませんでした・暑かったです

→　エアコンが　ついて　いませんでしたから、暑かったです。

1）　かぎが　掛かります・会議室に　入れません　→

2）　電気が　つきません・だれも　いないと　思います　→

3）　道が　すきました・早く　着きました　→

4）　スーパーが　閉まりました・買い物できませんでした　→

3.　例：　この　ファクスを　使っても　いいですか。(故障します)

→　その　ファクスは　故障して　いますよ。

1）　この　コップを　借りても　いいですか。(汚れます)　→

2）　この　袋を　もらっても　いいですか。(破れます)　→

3）　この　テープレコーダーを　使っても　いいですか。(壊れます)　→

4）　この　コーヒーを　飲んでも　いいですか。(冷たく　なります)　→

4.　例：　先週　貸した　本は　もう　読みましたか。(全部)

→　はい、全部　読んで　しまいました。

1）　引っ越しの　荷物は　準備しましたか。(きのう)　→

2）　会議の　資料は　コピーしましたか。(けさ)　→

3）　夏休みの　宿題は　やりましたか。(全部)　→

4）　レポートは　もう　書きましたか。(きのうの　晩)　→

5.　例：　昼ごはんを　食べに　行きませんか。　(これを　コピーします)

→　すみません。　これを　コピーして　しまいますから。

1）　少し　休みませんか。(この　仕事を　やります)　→

2）　食事に　行きませんか。(この　資料を　作ります)　→

3）　お茶を　飲みませんか。(この　手紙を　読みます)　→

4）　いっしょに　帰りませんか。(あしたの　出張の　準備を　します)　→

6.　例：　田中さんの　住所を　聞きました・忘れました

→　田中さんの　住所を　聞きましたが、忘れて　しまいました。

1）　駅まで　走りました・電車は　行きました　→

2）　タクシーで　行きました・約束の　時間に　遅れました　→

3）　行き方を　教えて　もらいました・道を　まちがえました　→

4）　気を　つけて　いました・病気に　なりました　→

7.　例：　どう　したんですか。

→　傘を　忘れて　しまったんです。

1）　どう　したんですか。　→

2）　どう　したんですか。　→

3）　どうして　運動会に　遅れたんですか。　→

4）　どうして　パーティーに　来なかったんですか。　→

練習(れんしゅう) C

1．　A：　あのう……。
　　B：　はい。
　　A：　かばんが　開(あ)いて　いますよ。
　　B：　えっ。　あ、どうも　すみません。

　　1）　ボタンが　外(はず)れます
　　2）　クリーニングの　紙(かみ)が　付(つ)きます

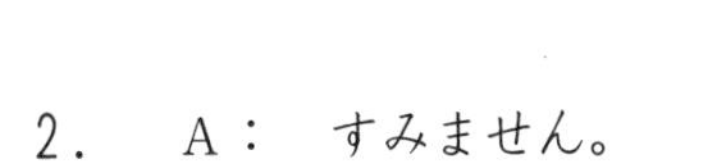

2．　A：　すみません。
　　　　この　①パンチ、使(つか)っても　いいですか。
　　B：　あ、その　①パンチは　②壊(こわ)れて　いますから、
　　　　こちらのを　使(つか)って　ください。
　　A：　すみません。

　　1）　①　袋(ふくろ)
　　　　②　汚(よご)れます
　　2）　①　封筒(ふうとう)
　　　　②　破(やぶ)れます

3．　A：　すみません。　けさ　①電車(でんしゃ)に　パソコンを　忘(わす)れて
　　　　しまったんですが……。
　　B：　①パソコンですか。
　　A：　ええ。　②黒(くろ)くて、このくらいのです。
　　B：　これですか。
　　A：　あ、それです。　ああ、よかった。

　　1）　①　どこかで　財布(さいふ)を　なくします
　　　　②　赤(あか)いです
　　2）　①　この　辺(へん)で　手帳(てちょう)を　落(お)とします
　　　　②　青(あお)いです

問題(もんだい)

1.　1)　＿＿＿＿＿＿＿＿＿＿＿＿＿＿＿＿＿＿＿＿
　　2)　＿＿＿＿＿＿＿＿＿＿＿＿＿＿＿＿＿＿＿＿
　　3)　＿＿＿＿＿＿＿＿＿＿＿＿＿＿＿＿＿＿＿＿
　　4)　＿＿＿＿＿＿＿＿＿＿＿＿＿＿＿＿＿＿＿＿
　　5)　＿＿＿＿＿＿＿＿＿＿＿＿＿＿＿＿＿＿＿＿

2.　1)（　　）　2)（　　）　3)（　　）　4)（　　）　5)（　　）

3.　例(れい)：　ボタンが　外(はず)れて　います。

例(れい)	1)	2)	3)	4)

1)　＿＿＿＿＿＿＿＿＿＿。　2)　＿＿＿＿＿＿＿＿＿＿。
3)　＿＿＿＿＿＿＿＿＿＿。　4)　＿＿＿＿＿＿＿＿＿＿。

4.　例(れい)：　かぎが　（　掛(か)かって　）　いますから、入(はい)れません。
　　1)　会議室(かいぎしつ)の　電気(でんき)が　（　　　　）　いますから、会議(かいぎ)は　もう　終(お)わったと　思(おも)います。
　　2)　エアコンが　（　　　　）　いますから、涼(すず)しいです。
　　3)　道(みち)が　（　　　　）　いましたから、遅(おく)れました。
　　4)　この　コートは　ポケットが　（　　　　）　いませんから、不便(ふべん)です。

5.　例(れい)：　この　袋(ふくろ)は　（　破(やぶ)れて　）　いますから、捨(す)てましょう。
　　1)　切手(きって)は　あの　箱(はこ)に　（　　　　）　います。
　　2)　その　ファクスは　（　　　　）　いますから、使(つか)えませんよ。
　　3)　その　コップは　（　　　　）　いますよ。きれいな　コップは　あちらです。
　　4)　美術館(びじゅつかん)は　（　　　　）　いましたから、ゆっくり　絵(え)が　見(み)られました。

6．例：昼ごはんを　食べに　行きませんか。
　　…この　仕事を　（　やって　）　しまいますから、お先に　どうぞ。
　1）夏休みの　宿題は　もう　（　　　）　しまいましたか。
　　…ええ、全部　終わりました。
　2）薬は　ありますか。
　　…いいえ、もう　（　　　）　しまいました。
　3）それは　図書館の　本ですか。
　　…ええ、（　　　）　しまいましたから、返しに　行きます。
　4）いっしょに　帰りませんか。
　　…すみません。この　手紙を　（　　　）　しまいますから、お先に　どうぞ。

7．例：切符を　買いましたが、（　なくして　）　しまいました。
　1）10時の　約束でしたが、時間に　（　　　）　しまいました。
　2）行き方を　教えて　もらいましたが、道を　（　　　）　しまいました。
　3）買い物から　帰る　とき、袋が　（　　　）　しまいました。
　4）学生の　とき、フランス語を　勉強しましたが、もう　（　　　）　しまいました。

8．

地震

　けさ　神戸で　大きい　地震が　ありました。　今　わたしは　三宮駅の　前に　います。　駅の　建物は　壊れて、壁の　時計は　止まって　います。時計の　針は　5時46分を　指して　います。　地震が　あった　時間です。電車は　動いて　いません。

　古い　ビルが　駅前の　広い　道に　倒れて　います。　倒れて　いない　ビルも　窓の　ガラスが　割れて　います。　ビルの　中を　見ると、いろいろな　物が　壊れて　います。危ないですから、入る　ことが　できません。

　駅の　西の　方では　今も　うちが　燃えて　います。

1）（　　）今　5時46分です。
2）（　　）駅の　建物は　壊れて　しまいました。
3）（　　）電車で　神戸へ　来られます。
4）（　　）ビルは　窓の　ガラスが　割れたり、中の　物が　壊れたり　して　います。

第30課

文型

1. 交番に　町の　地図が　はって　あります。
2. 旅行の　まえに、案内書を　読んで　おきます。

例文

1. 駅の　新しい　トイレは　おもしろいですね。
…え？　そうですか。
壁に　花や　動物の　絵が　かいて　あるんです。

2. セロテープは　どこですか。
…あの　引き出しに　しまって　ありますよ。

3. お子さんの　名前は　もう　決めて　ありますか。
…いいえ。　顔を　見てから、考えます。

4. 次の　会議までに、何を　して　おいたら　いいですか。
…この　資料を　読んで　おいて　ください。

5. ボランティアに　参加したいんですが、2週間ほど　休みを　取っても　いいですか。
…2週間ですか。　うーん。　部長に　相談して　おきます。

6. はさみを　使ったら、元の　所に　戻して　おいて　ください。
…はい、わかりました。

7. 資料を　片づけても　いいですか。
…いいえ、その　ままに　して　おいて　ください。
まだ　使って　いますから。

会話

チケットを　予約して　おきます

ミラー　　：　課長、ニューヨーク出張の　予定表と　資料が
　　　　　　　できました。
中村課長：　ご苦労さま。　資料は　あとで　見て　おきますから、そこに
　　　　　　　置いといて　ください。
ミラー　　：　はい。
中村課長：　予定表は　これですね。
　　　　　　　ホワイトさんには　もう　連絡して　ありますか。
ミラー　　：　はい。
　　　　　　　あのう、この　日の　午後は　予定が　ないんですが……。
中村課長：　ああ、そうですね。
ミラー　　：　何か　ご希望が　ありますか。
中村課長：　そうですね。　一度　ブロードウェイで　ミュージカルを
　　　　　　　見たいと　思うんですが……。
ミラー　　：　それは　いいですね。　チケットを　予約して
　　　　　　　おきましょうか。
中村課長：　ええ、お願いします。

練習(れんしゅう) A

1.

カレンダー	に	こんげつの　よてい	が	かいて	あります。
かべ		え		かけて	
テーブル		おさら		ならべて	

2.

プレゼント	は	もう	かって	あります。
かいぎの　じかん		もう　みんなに	しらせて	
ホテル		もう	よやくして	

3.

レポートを　書(か)く　まえに、資料(しりょう)を	あつめて	おきます。
試験(しけん)までに　この　本(ほん)を	よんで	
食事(しょくじ)が　終(お)わったら、ちゃわんや　お皿(さら)を	あらって	
使(つか)ったら、元(もと)の　所(ところ)に　道具(どうぐ)を	もどして	

4.

あした　会議(かいぎ)が　ありますから、いすは	この　部屋(へや)に	おいて
	そこに	ならべて
		そのままに　して

おいて　ください。

練習　B

1.　例：　→　棚に　人形が　飾って　あります。

　　1）　→　　　2）　→　　　3）　→　　　4）　→

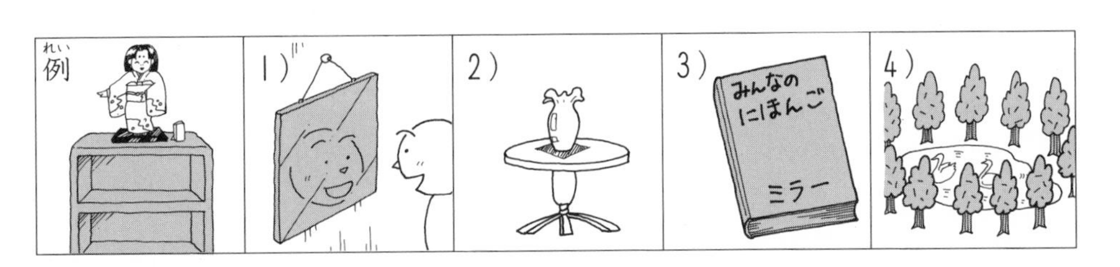

2.　例：　メモは　どこですか。

　　　→　机の　上に　置いて　あります。

1）　カレンダーは　どこですか。　→

2）　ごみ箱は　どこですか。　→

3）　はさみは　どこですか。　→

4）　ホッチキスは　どこですか。　→

3.　例：　ビールは　買いましたか。　→　はい、もう　買って　あります。

1）　パーティーの　時間は　知らせましたか。　→

2）　テーブルと　いすは　並べましたか。　→

3）　コップは　出しましたか。　→

4）　玄関と　廊下は　掃除しましたか。　→

4.　例1：　友達が　来ます・部屋を　掃除します

　　　→　友達が　来る　まえに、部屋を　掃除して　おきます。

例2：　授業・予習します

　　　→　授業の　まえに、予習して　おきます。

1）　レポートを　書きます・資料を　集めます　→

2）　料理を　始めます・道具を　準備します　→

3）　試験・復習します　→

4）　旅行・案内書を　読みます　→

5.　例：　来週の　講義・この　本を　全部　読みます
→　来週の　講義までに　この　本を　全部　読んで　おいて　ください。
1）　7時・食事の　準備を　します　→
2）　月曜日・レポートを　まとめます　→
3）　次の　会議・この　問題に　ついて　考えます　→
4）　引っ越しの　日・郵便局に　新しい　うちの　住所を　連絡します　→

6.　例：　この　辞書は　どう　しましょうか。（本棚に　戻します）
→　本棚に　戻して　おいて　ください。
1）　ナイフと　フォークは　どこに　しまいましょうか。
（あの　引き出しに　しまいます）　→
2）　皿や　コップは　どう　しましょうか。
（台所へ　持って　行きます）　→
3）　ジュースの　缶は　どこに　捨てましょうか。
（あの　大きい　袋に　入れます）　→
4）　この　箱は　どう　しましょうか。
（あの　隅に　置きます）　→

7.　例：　テレビを　消しても　いいですか。
（もうすぐ　ニュースの　時間です・つけます）
→　もうすぐ　ニュースの　時間ですから、つけて　おいて　ください。
1）　窓を　開けても　いいですか。
（寒いです・閉めます）　→
2）　会議室を　片づけても　いいですか。
（まだ　使って　います・そのままに　します）　→
3）　冷蔵庫から　ビールを　出しましょうか。
（パーティーまで　少し　時間が　あります・入れます）　→
4）　コップを　洗いましょうか。
（わたしが　やります・そのままに　します）　→

練習　C

1.　A：　あそこに　①ポスターが　はって　ありますね。
　　　　あれは　何ですか。
　　B：　②スポーツ教室の　お知らせです。
　　A：　そうですか。

1）　①　本を　並べます
　　　②　日本語教室の　本
2）　①　箱を　置きます
　　　②　要らない　本や　雑誌を　入れる　箱

2.　A：　来週の　①ミーティングまでに　何を　して　おいたら　いいですか。
　　B：　そうですね。　②この　資料を　コピーして　おいて　ください。
　　A：　はい、わかりました。

1）　①　会議
　　　②　この　レポートを
　　　　　読みます
2）　①　出張
　　　②　新しい　カタログを
　　　　　準備します

3.　A：　①この　本を　片づけても　いいですか。
　　B：　いいえ、②そのままに　して　おいて　ください。
　　　　あとで　使いますから。

1）　①　いすを　片づけます
　　　②　そこに　並べます
2）　①　この　紙を　捨てます
　　　②　そこに　入れます

問題

1. 1）＿＿＿＿＿＿＿＿＿＿＿＿＿＿＿＿＿＿＿＿
   2）＿＿＿＿＿＿＿＿＿＿＿＿＿＿＿＿＿＿＿＿
   3）＿＿＿＿＿＿＿＿＿＿＿＿＿＿＿＿＿＿＿＿
   4）＿＿＿＿＿＿＿＿＿＿＿＿＿＿＿＿＿＿＿＿
   5）＿＿＿＿＿＿＿＿＿＿＿＿＿＿＿＿＿＿＿＿

2. 1）（　　）　2）（　　）　3）（　　）　4）（　　）　5）（　　）

3. 例：人形は　どこですか。
   本棚の　上に　飾って　あります。
   1）テーブルの　上に　何が　置いて　ありますか。
   ＿＿＿＿＿＿＿＿＿＿＿＿＿＿＿＿。
   2）ドアに　何が　はって　ありますか。
   ＿＿＿＿＿＿＿＿＿＿＿＿＿＿＿＿。
   3）カレンダーは　どこに　掛けて　ありますか。
   ＿＿＿＿＿＿＿＿＿＿＿＿＿＿＿＿。
   4）ごみ箱は　どこですか。
   ＿＿＿＿＿＿＿＿＿＿＿＿＿＿＿＿。

4. 例：旅行の　予定は　もう　（連絡して）　あります。
   1）パーティーの　飲み物は　もう　（　　　）　あります。
   2）会議の　資料は　もう　（　　　）　あります。
   3）家賃は　もう　（　　　）　あります。
   4）ホテルは　もう　（　　　）　あります。

予約します コピーします ~~連絡します~~ 払います 買います

5. 例：旅行の　まえに、フィルムを　（買って）　おきます。
   1）授業の　まえに、（　　　）　おきます。
   2）試験までに　この　本を　よく　（　　　）　おきます。
   3）山に　登る　まえに、地図を　（　　　）　おきます。
   4）食事が　終わったら、台所を　（　　　）　おきます。

読みます 見ます 片づけます 予習します ~~買います~~

6. 例：テレビを　消しましょうか。
   …すみません。まだ　見て　いますから、つけて　おいて　ください。

1） 道具を 片づけましょうか。
…すみません。まだ 使って いますから、そのままに ＿＿＿＿＿＿＿。

2） 野菜を 冷蔵庫に しまいましょうか。
…洗ってから、しまいますから、そこに ＿＿＿＿＿＿＿＿＿＿＿＿。

3） 窓を 閉めても いいですか。
…すみません。暑いですから、＿＿＿＿＿＿＿＿＿＿＿＿＿＿＿。

4） ラジオを 消しても いいですか。
…ニュースの 時間ですから、＿＿＿＿＿＿＿＿＿＿＿＿＿＿＿。

7． 例： 壁に 鏡が 掛けて （います、(あります)、おきます）。

1） 部屋の 電気が 消えて （います、あります、おきます）から、
田中さんは もう 寝たと 思います。

2） 窓が 閉めて （いませんでした、ありませんでした、
おきませんでした）よ。出かける ときは、閉めて ください。

3） お花見の 日は みんなで 相談して （いて、あって、おいて）
ください。

4） はさみは どこですか。
…引き出しに 入れて （います、あります、おきます）。

8．

夢で 見た うち

わたしの 部屋の 壁に 丸くて、青い 月の 写真が はって あります。 いつも ベッドに 入る まえに、写真を 見ます。

ある 晩 夢を 見ました。 わたしは 広い 部屋に いました。 窓の 外に 地球が 見えました。 「ここは 月の うちだ」と 思いました。 うれしかったです。 でも、よく 見ると、壁には 何も 掛けて ありません。 テーブルや いすも ありません。 何も 飾って ありません。 わたしは 「こんな うちは 嫌だ」と 大きい 声で 言いました。

すると、目が 覚めました。 わたしの 部屋には ベッドや 机が 置いて あります。 壁に カレンダーも 掛けて あります。 本棚に 好きな 本が いろいろ 並べて あります。 夢で 見た うちより いいと 思いました。

1）（　　）この 人の 部屋の 壁に 地球の 写真が はって あります。

2）（　　）月の うちの 部屋には 何も 置いて ありませんでした。

3）（　　）この 人は 月の うちに 住みたいと 思いました。

復習　F

1.　例：　8時の　電車（ に ）　遅れて　しまいました。

　　1）　わたしは　運動会（　　　）は　参加しません。

　　2）　書き方が　わからないんです（　　　）、教えて　いただけませんか。

　　3）　バスの　時間（　　　）　間に　合いませんでした。

　　4）　窓から　山（　　　）　見えます。

　　5）　ひらがな（　　　）　書けますが、漢字（　　　）　書けません。

　　6）　近くに　スーパー（　　　）　できました。

　　7）　郵便局（　　　）は　はがきは　買えますが、封筒は　買えません。

　　8）　マリアさんは　フランス語（　　　）　話せます。

　　9）　ことば（　　　）　わからないし、習慣（　　　）　違うし、
　　　　外国旅行は　大変です。

　　10）　電車（　　　）　傘を　忘れて　しまいました。

　　11）　窓（　　　）　開いて　いますから、閉めて　ください。

　　12）　この　ファクス（　　　）　故障して　いますから、あちらのを
　　　　使って　ください。

　　13）　壁（　　　）　カレンダー（　　　）　掛けて　あります。

　　14）　ごみ箱（　　　）　部屋の　隅（　　　）　置いて　あります。

2.　例：　初めまして。ミラーです。アメリカから　（ 来たんです、(来ました) ）。

　　1）　いつ　国へ　帰りますか。
　　　　…来月の　初めに　（ 帰るんです、帰ります ）。

　　2）　趣味は　何ですか。
　　　　…（ 釣りです、釣りなんです ）。

　　3）　どう　したんですか。
　　　　…頭が　（ 痛かったです、痛いんです ）。

　　4）　エドヤストアへ　（ 行きたいですから、行きたいんですが ）、道を
　　　　教えて　いただけませんか。

3.　例：　雨が　(降ります→　降った) ら、出かけません。

　　1）　どうして　きのう　パーティーに　(来ます→　　　　　) んですか。
　　　　…ちょっと　都合が　(悪いです→　　　　　) んです。

　　2）　きょうは　ケーキを　作ります。子どもの　(誕生日です
　　　　→　　　　　) んです。

　　3）　彼は　(働きます→　　　　　) ながら　大学で　勉強して　います。

4）　色も　（きれいです→　　　　　）し、サイズも　（ちょうど　いいです→　　　　　）し、この　靴を　買います。

5）　キャッシュカードを　（なくします→　　　　　）　しまったんですが、どう　（します→　　　　　）ら　いいですか。

6）　はさみを　使ったら、元の　所に　（戻します→　　　　　）　おいてください。

F

4．　例：　いすは　そのままに　して　（　おいて　）　ください。

います　　あります　　おきます　　しまいます

1）　きのう　買った　ケーキは　もう　食べて　（　　　　）。

2）　1週間に　1回　プールで　泳いで　（　　　　）。

3）　地図を　持って　いましたが、道を　まちがえて　（　　　　）。

4）　あそこに　予定表が　はって　（　　　　）から、見て　ください。

5）　あした　試験を　しますから、よく　復習して　（　　　　）　ください。

6）　コップが　汚れて　（　　　　）んですが、換えて　いただけませんか。

5．　例：　かぎが　（掛かって）　いますから、部屋に　入れません。

~~掛かります~~　　閉まります　　破れます　　壊れます　　込みます

1）　この　ファクスは　（　　　　）　いますから、＿＿＿＿＿＿＿＿。

2）　道が　（　　　　）　いますから、　5時までに　駅へ　＿＿＿＿＿。

3）　この　シャツは　（　　　　）　いますから、＿＿＿＿＿＿＿＿。

4）　もう　銀行が　（　　　　）　いますから、お金が　＿＿＿＿＿＿。

6．　例：　テープの　音が　（　(はっきり)　、　ゆっくり　）　聞こえません。

1）　この　本の　漢字は　（ほとんど、ずいぶん）　読めます。

2）　学校を　1日（だけ、しか）　休みませんでした。

3）　この　スーパーには　（何も、何でも）　あります。

4）　わたしの　夢は　（いつでも、いつか）　世界を　旅行する　ことです。

5）　ここは　安いし、おいしいし、（それに、それで）　駅から　近いんです。
…（それに、それで）　いつも　込んで　いるんですね。

第31課

文型

1. いっしょに　飲もう。
2. 将来　自分の　会社を　作ろうと　思って　います。
3. 来月　車を　買う　つもりです。

例文

1. 疲れたね。　ちょっと　休まない？
…うん、そう　しよう。

2. お正月は　何を　しますか。
…家族と　温泉に　行こうと　思って　います。
それは　いいですね。

3. レポートは　もう　できましたか。
…いいえ、まだ　書いて　いません。
　金曜日までに　まとめようと　思って　います。

4. ハンス君は　国へ　帰っても、柔道を　続けますか。
…はい、続ける　つもりです。

5. 夏休みは　国へ　帰らないんですか。
…ええ。　大学院の　試験を　受けますから、ことしは　帰らない
　つもりです。

6. あしたから　ニューヨークへ　出張します。
…そうですか。　いつ　帰りますか。
来週の　金曜日に　帰る　予定です。

会　話

インターネットを　始めようと　思って　います

小　川：　来月から　独身です。
ミラー：　えっ？
小　川：　実は　大阪の　本社に　転勤なんです。
ミラー：　本社ですか。　それは　おめでとう　ございます。
　　　　　でも、どうして　独身に　なるんですか。
小　川：　妻と　子どもは　東京に　残るんです。
ミラー：　えっ、いっしょに　行かないんですか。
小　川：　息子は　来年　大学の　入学試験が　あるから、東京に
　　　　　残ると　言うし、妻も　今の　会社を　やめたくないと
　　　　　言うんです。
ミラー：　へえ。　別々に　住むんですか。
小　川：　ええ。　でも、月に　2、3回　週末に　帰る　つもりです。
ミラー：　大変ですね。
小　川：　でも、普通の　日は　暇ですから、インターネットを
　　　　　始めようと　思って　います。
ミラー：　そうですか。　それも　いいですね。

練習 A

1.

	ます形			意向形		
Ⅰ	ある	き	ます	ある	こ	う
	いそ	ぎ	ます	いそ	ご	う
	やす	み	ます	やす	も	う
	あそ	び	ます	あそ	ぼ	う
	の	り	ます	の	ろ	う
	ま	ち	ます	ま	と	う
	か	い	ます	か	お	う
	なお	し	ます	なお	そ	う

	ます形		意向形	
Ⅱ	かえ	ます	かえ	よう
	おぼえ	ます	おぼえ	よう
	み	ます	み	よう

	ます形		意向形	
Ⅲ	き	ます	こ	よう
	し	ます	し	よう
	しゅっせきし	ます	しゅっせきし	よう

2.

買い物に	いこう。
公園を	さんぽしよう。

3. 外国で

	はたらこう	と　思って　います。
仕事を	みつけよう	
	べんきょうしよう	

4. レポートは　まだ

だして	いません。
まとめて	

5. わたしは

ずっと　日本に	すむ	つもりです。
将来　大学で	けんきゅうする	
国へ	かえらない	
来年の　試験を	うけない	

6.

部長は　支店へ	いく	予定です。
飛行機は　11時に	つく	
来週は	しゅっちょうの	

練習 B

1. 例： みんな 来ましたから、始めましょう → みんな 来たから、始めよう。
   1） 疲れましたから、ちょっと 休憩しましょう →
   2） よく 見えませんから、前の 方に 座りましょう →
   3） もう 遅いですから、寝ましょう →
   4） あしたは 休みですから、動物園へ 行きましょう →

2. 例： あした 何を しますか。（映画を 見ます）
   → 映画を 見ようと 思って います。
   1） 日曜日は 何を しますか。（家族と 教会へ 行きます） →
   2） 連休は 何を しますか。（うちで ゆっくり 休みます） →
   3） 今度の 週末は 何を しますか。（山に 登ります） →
   4） 暇に なったら、何を しますか。（小説を 書きます） →

3. 例： 外国人登録には もう 行きましたか。（あした）
   → いいえ、まだ 行って いません。
   あした 行こうと 思って います。
   1） ピカソの 展覧会は もう 見に 行きましたか。（今度の 日曜日）
   →
   2） 図書館の 本は もう 返しましたか。（あさって） →
   3） 作文は もう 書きましたか。（これから） →
   4） 転勤の ことは もう 家族に 話しましたか。（今晩） →

4. 例： 12月までに 漢字を 500 覚えます
   → 12月までに 漢字を 500 覚える つもりです。
   1） 来月から 生け花を 習います →
   2） 将来 自分の 店を 持ちます →
   3） 年を 取ったら、運転しません →
   4） あしたからは たばこを 吸いません →

5．　例：　いつ　結婚しますか。（来年）　→　来年　結婚する　つもりです。

1）　夏休みは　どこへ　行きますか。（アメリカ）　→

2）　だれと　北海道を　旅行しますか。（息子）　→

3）　どんな　カメラを　買いますか。（小さくて、軽い　カメラ）　→

4）　どこに　住みますか。（大学の　近く）　→

6．　例：　お正月は　国へ　帰りますか。　→　いいえ、帰らない　つもりです。

1）　来週の　運動会に　参加しますか。　→

2）　会社の　パーティーに　家族も　連れて　行きますか。　→

3）　さくら大学の　入学試験を　受けますか。　→

4）　7月に　夏休みを　取りますか。　→

7．　例：　いつごろ　ドイツへ　出張しますか。（7月の　終わり）

→　7月の　終わりに　出張する　予定です。

1）　会議は　何時に　始まりますか。（10時）　→

2）　結婚式に　お客さんは　何人　来ますか。（100人ぐらい）　→

3）　空港は　どこに　できますか。（神戸）　→

4）　きょうの　午後は　何ですか。（パワー電気の　社長に　会います）　→

8．　例1：　会議は　何曜日ですか。（火曜日）

→　火曜日の　予定です。

例2：　飛行機は　何時に　着きますか。（5時半）

→　5時半の　予定です。

1）　出張は　どこですか。（バンコク）　→

2）　いつ　卒業しますか。（来年の　6月）　→

3）　どのくらい　旅行しますか。（1週間ぐらい）　→

4）　あしたは　何を　しますか。（見学）　→

練習(れんしゅう) C

1. A： ああ、①疲(つか)れた。
   B： じゃ、どこかで ②少(すこ)し 休(やす)もう。
   A： あの 喫茶店(きっさてん)に 入(はい)らない？
   B： うん、そう しよう。

   1) ① おなかが すきました
      ② 何(なに)か 食(た)べます
   2) ① のどが かわきました
      ② ジュースでも 飲(の)みます

2. A： その ①本(ほん)は もう ②読(よ)みましたか。
   B： いいえ、まだ ②読(よ)んで いません。
   今晩(こんばん) ②読(よ)もうと 思(おも)って います。
   A： じゃ、②読(よ)んだら、貸(か)して いただけませんか。
   B： いいですよ。

   1) ① ビデオ ② 見(み)ます
   2) ① テープ ② 聞(き)きます

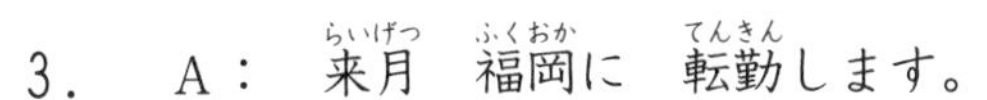

3. A： 来月(らいげつ) 福岡(ふくおか)に 転勤(てんきん)します。
   B： そうですか。 大変(たいへん)ですね。
   ①住(す)む 所(ところ)は どう するんですか。
   A： ②会社(かいしゃ)の 近(ちか)くの アパートを 借(か)りる つもりです。

   1) ① 今(いま) 住(す)んで いる うち
      ② だれかに 貸(か)します
   2) ① 犬(いぬ)
      ② 友達(ともだち)に あげます

31

問題(もんだい)

1. 1) ____________________
   2) ____________________
   3) ____________________
   4) ____________________

31

2. 1)(　　)　2)(　　)　3)(　　)　4)(　　)　5)(　　)

3.

例(れい)：　聞(き)きます	聞こう	5)　寝(ね)ます	
1)　急(いそ)ぎます		6)　続(つづ)けます	
2)　踊(おど)ります		7)　決(き)めます	
3)　探(さが)します		8)　休憩(きゅうけい)します	
4)　待(ま)ちます		9)　来(き)ます	

4. 例(れい)：　大学院(だいがくいん)の　試験(しけん)を　(受(う)けます→　受(う)けよう)と　思(おも)って　います。
   1)　パワー電気(でんき)の　パソコンを　(買(か)います→　　　　)と　思(おも)って　います。
   2)　駅(えき)の　近(ちか)くの　ホテルを　(予約(よやく)します→　　　　)と　思(おも)って　います。
   3)　来年(らいねん)　家(いえ)を　(建(た)てます→　　　　)と　思(おも)って　います。
   4)　日曜日(にちようび)は　教会(きょうかい)へ　(行(い)きます→　　　　)と　思(おも)って　います。

5. 例(れい)1：　彼女(かのじょ)と　結婚(けっこん)するんですか。
   …ええ、ことしの　秋(あき)に　結婚(けっこん)する　つもりです。
   例(れい)2：　きょうも　残業(ざんぎょう)するんですか。
   …いいえ、きょうは　しない　つもりです。
   1)　だれに　引(ひ)っ越(こ)しを　手伝(てつだ)って　もらいますか。
   …会社(かいしゃ)の　人(ひと)に　____________________。
   2)　夏休(なつやす)みに　国(くに)へ　帰(かえ)りますか。
   …いいえ、クリスマスまで　____________________。
   3)　あしたの　朝(あさ)　何時(なんじ)ごろ　出(で)かけますか。
   …そうですね。7時(じ)ごろ　____________________。

4） 旅行に あの 大きい カメラを 持って 行きますか。
…いいえ、重いですから、＿＿＿＿＿＿＿＿＿＿＿＿＿＿＿。

6． 例： きょう（4月1日）の 会議は 何時に 終わりますか。
…4時に 終わる 予定です。

1） 次の 会議は いつですか。
…＿＿＿＿＿＿＿＿＿＿＿＿。

2） あした 何か 予定が ありますか。
…＿＿＿＿＿＿＿＿＿＿＿＿。

3） いつ ミラーさんに 会いますか。
…＿＿＿＿＿＿＿＿＿＿＿＿。

4） 土曜日 どこへ お花見に 行きますか。
…＿＿＿＿＿＿＿＿＿＿＿＿。

4月の 予定

1〈火〉	会議 2:00〜4:00
2〈水〉	出張（広島）
3〈木〉	ミラーさんに 会う
4〈金〉	
5〈土〉	お花見（上野公園）
6〈日〉	
7〈月〉	会議

7．

田舎へ 帰って

わたしは 九州の 小さい 村で 生まれた。 高校を 卒業して、東京へ 来てから、もう 10年に なる。 今 本屋で 働いて いる。

田舎に いた ときは、映画館も ないし、レストランも ないし、田舎の生活は 嫌だと 思った。 でも、最近 疲れた ときや 寂しい とき、よく 田舎の 青い 空や 緑の 山を 思い出す。 目を 閉じると、友達と 泳いだ 川の 音が 聞こえる。

わたしは 来年の 春 会社を やめて、田舎へ 帰ろうと 思って いる。 そして、都会の 子どもたちが 自由に 遊べる 「山の 学校」を作る つもりだ。

東京には 世界中の 物が 集まって いるが、ない 物が 1つだけ ある。 それは 美しい 自然だ。 わたしは 東京へ 来て、自然の すばらしさに 気が ついた。

1） この 人は 今 どこに 住んで いますか。…
2） この 人は どうして 田舎の 生活は 嫌だと 思いましたか。…
3） この 人は 田舎へ 帰って、何を しますか。…
4） 東京に ない 物は 何ですか。…

第32課

文型

1.　毎日　運動した　ほうが　いいです。
2.　あしたは　雪が　降るでしょう。
3.　約束の　時間に　間に　合わないかも　しれません。

例文

1.　最近の　学生は　よく　遊びますね。
　…そうですね。　でも、若い　ときは、いろいろな　経験を　した
　　ほうが　いいと　思います。

2.　1か月ぐらい　ヨーロッパへ　遊びに　行きたいんですが、40万円で
　足りますか。
　…十分だと　思います。
　　でも、現金で　持って　行かない　ほうが　いいですよ。

3.　日本の　経済は　どう　なるでしょうか。
　…そうですね。　まだ　しばらく　よく　ならないでしょう。

4.　オリンピックは　成功するでしょうか。
　…大丈夫でしょう。
　　ずいぶん　まえから　準備して　いますから。

5.　先生、ハンスは　何の　病気でしょうか。
　…インフルエンザですね。　3日ほど　高い　熱が　続くかも
　　しれませんが、心配しないで　ください。

6.　エンジンの　音が　おかしいと　思いませんか。
　…ええ。　故障かも　しれません。
　　すぐ　空港に　戻りましょう。

会　話

病気かも　しれません

渡　辺　　：　シュミットさん、どう　したんですか。　元気が
　　　　　　　ありませんね。

シュミット：　最近　体の　調子が　よくないんです。
　　　　　　　時々　頭や　胃が　痛く　なるんです。

渡　辺　　：　それは　いけませんね。　病気かも　しれませんから、
　　　　　　　一度　病院で　診て　もらった　ほうが　いいですよ。

シュミット：　ええ、そうですね。

シュミット：　先生、どこが　悪いんですか。

医　者　　：　特に　悪い　ところは　ありませんよ。
　　　　　　　仕事は　忙しいですか。

シュミット：　ええ。　最近　残業が　多いんです。

医　者　　：　働きすぎですね。　仕事の　ストレスでしょう。

シュミット：　そうですか。

医　者　　：　無理を　しない　ほうが　いいですよ。
　　　　　　　少し　休みを　取って、ゆっくり　して　ください。

シュミット：　はい、わかりました。

練習(れんしゅう) A

1.

病院(びょういん)へ	いった	ほうが　いいです。
薬(くすり)を	のんだ	
たばこを	すわない	
おふろに	はいらない	

2.

今夜(こんや)は	星(ほし)が	みえる	でしょう。
	雪(ゆき)は	ふらない	
		さむい	
	月(つき)が	きれい	
		あめ	

3.

彼(かれ)は	会社(かいしゃ)を	やめる	かも　しれません。
		こない	
	あした	いそがしい	
	来週(らいしゅう)	ひま	
		びょうき	

練習　B

1.　例1：　体に　悪いです・たばこを　やめます

　　　→　体に　悪いですから、たばこを　やめた　ほうが　いいです。

　　例2：　熱が　あります・おふろに　入りません

　　　→　熱が　ありますから、おふろに　入らない　ほうが　いいです。

　　1）　牛乳は　体に　いいです・毎日　飲みます　→

　　2）　夏休みは　ホテルが　込みます・早く　予約します　→

　　3）　もう　遅いです・電話は　かけません　→

　　4）　危ないです・夜　遅く　一人で　歩きません　→

2.　例：　きのうから　せきが　出るんです。（病院へ　行きます）

　　　→　じゃ、病院へ　行った　ほうが　いいですよ。

　　1）　次の　電車に　乗りたいんです。（急ぎます）　→

　　2）　隣の　うちの　犬が　うるさいんです。（隣の　人に　直接　言います）　→

　　3）　ちょっと　胃の　調子が　悪いんです。（きょうは　お酒を　飲みません）　→

　　4）　かぜを　ひいて　いるんです。（出かけません）　→

3.　例：　夕方には　→　夕方には　雨が　やむでしょう。

　　1）　あしたは　→　　　　　2）　午後は　→

　　3）　あしたの　朝は　→　　　4）　夜は　→

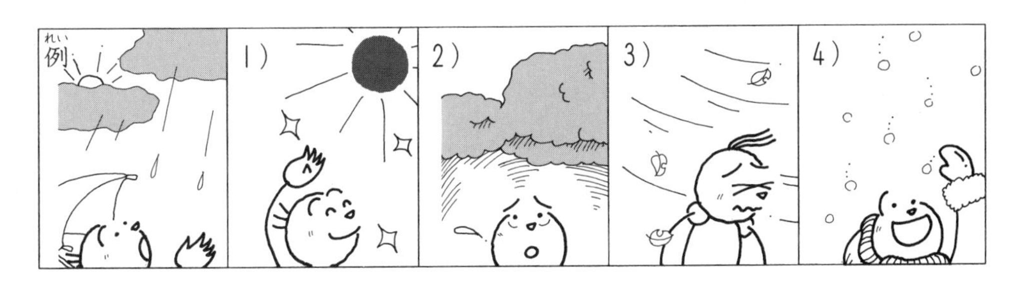

32

4.　例：　西の　空が　赤いです・あしたは　いい　天気に　なります
　　→　西の　空が　赤いですから、あしたは　いい　天気に　なるでしょう。
　1）　かぜです・ゆっくり　休んだら、治ります　→
　2）　天気が　悪いです・富士山は　見えません　→
　3）　駅の　前に　デパートが　できました・町は　にぎやかに　なります　→
　4）　午後は　会議です・部長は　忙しいです　→

5.　例1：　駅まで　30分で　行けますか。（ええ、きょうは　道が　すいて　います）
　　→　ええ、きょうは　道が　すいて　いますから、たぶん
　　　行けるでしょう。
　例2：　この　パソコンの　値段は　もう　少し　待ったら、安く　なりますか。
　　（いいえ、新しい　製品です）
　　→　いいえ、新しい　製品ですから、たぶん　安く　ならないでしょう。
　1）　彼女は　道が　わかりますか。
　　（ええ、地図を　持って　います）　→
　2）　3万円で　ビデオが　買えますか。
　　（ええ、最近　安く　なって　います）　→
　3）　彼は　パーティーに　来ますか。
　　（いいえ、忙しいです）　→
　4）　山田さんは　その　話を　知って　いますか。
　　（いいえ、先週　出張でした）　→

6.　例：　電話を　かけるんですか。（約束の　時間に　間に　合いません）
　　→　ええ。　約束の　時間に　間に　合わないかも　しれませんから。
　1）　コートを　持って　行くんですか。（夜　寒く　なります）　→
　2）　車で　行かないんですか。（駐車場が　ありません）　→
　3）　バス旅行の　ときは　薬を　飲むんですか。（気分が　悪く　なります）
　　→
　4）　タクシーを　予約して　おくんですか。（朝は　タクシーが　ありません）
　　→

練習　C

1．　A：　どう　したんですか。

　　B：　①やけどを　したんです。

　　A：　じゃ、②すぐ　水道の　水で　冷やした　ほうが　いいですよ。

　　B：　ええ、そう　します。

　　　1）　①　熱が　あります

　　　　　②　うちへ　帰って、休みます

　　　2）　①　頭が　痛いです

　　　　　②　薬を　飲みます

2．　A：　もうすぐ　①入学試験ですね。

　　B：　ええ。　②タワポンさんは　合格するでしょうか。

　　A：　③よく　勉強して　いましたから、

　　　　きっと　②合格するでしょう。

　　　1）　①　サッカーの　試合

　　　　　②　IMCの　チームは　勝ちます

　　　　　③　あんなに　練習します

　　　2）　①　国際ボランティア会議

　　　　　②　会議は　成功します

　　　　　③　みんな　頑張ります

3．　A：　何か　心配な　ことが　あるんですか。

　　B：　ええ。　もしかしたら　①3月に

　　　　卒業できないかも　しれません。

　　A：　どうしてですか？

　　B：　②フランス語の　試験が　悪かったんです。

　　A：　それは　いけませんね。

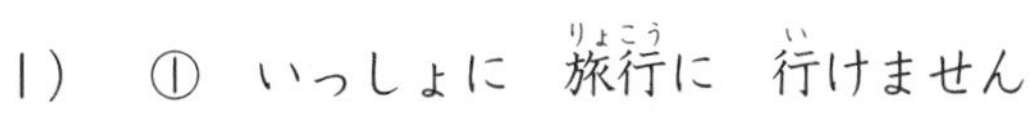

　　　1）　①　いっしょに　旅行に　行けません

　　　　　②　パスポートを　なくして　しまいました

　　　2）　①　あしたの　試合は　負けます

　　　　　②　チームの　友達が　足に　けがを　しました

問題

1.　1）＿＿＿＿＿＿＿＿＿＿＿＿＿＿＿＿＿＿＿＿
　　2）＿＿＿＿＿＿＿＿＿＿＿＿＿＿＿＿＿＿＿＿
　　3）＿＿＿＿＿＿＿＿＿＿＿＿＿＿＿＿＿＿＿＿

2.　1）（　　）　2）（　　）　3）（　　）　4）（　　）　5）（　　）

3.　例1：　ちょっと　頭が　痛いんです。
　　　　…じゃ、ゆっくり　（　休んだ　）　ほうが　いいですよ。
　　例2：　おとといから　のどが　痛いんです。
　　　　…じゃ、大きい　声で　（　話さない　）　ほうが　いいですよ。
　　1）　きのうから　熱が　あるんです。
　　　　…じゃ、あまり　無理を　（　　　　　）　ほうが　いいですよ。
　　2）　連休に　九州へ　行きたいんですが……。
　　　　…じゃ、早く　ホテルを　（　　　　　）　ほうが　いいですよ。
　　3）　おなかの　調子が　よくないんです。
　　　　…じゃ、冷たい　物は　（　　　　　）　ほうが　いいですよ。
　　4）　あした　大学の　入学試験なんです。
　　　　…じゃ、今晩は　早く　（　　　　　）　ほうが　いいですよ。

4.　例：　ミラーさんは　柔道の　練習に　来ますか。
　　　　…ええ、（　来る　）でしょう。きょうは　残業が　ない　日ですから。
　　1）　山田さんは　中国語が　話せますか。
　　　　…ええ、（　　　　　）でしょう。中国に　3年　住んで　いましたから。
　　2）　午後の　野球の　試合は　無理でしょうか。
　　　　…ええ、（　　　　　）でしょう。こんなに　雨が　強いですから。
　　3）　この　カレーは　辛いですか。
　　　　…いいえ、（　　　　　）でしょう。小さい　子どもも　食べて
　　　　　いますから。
　　4）　部長は　土曜日　ゴルフですか。
　　　　…いいえ、きっと　（　　　　　）でしょう。家族と　出かけると
　　　　　言いましたから。

5. 例： 今度の　日曜日は　（　雨です→　雨　　　）かも　しれません。

1） 7時半の　電車に　（　間に　合いません→　　　　　　）かも　しれませんから、走りましょう。

2） きょうは　曇って　いますから、富士山が　（　見えません→　　　　　　）かも　しれません。

3） 高橋さんは　まだ　経験が　少ないですから、この　仕事は　少し　（　難しいです→　　　　　　）かも　しれません。

4） 来週の　旅行は　電車で　行きますから、荷物が　多いと、（　大変です→　　　　　　）かも　しれません。

6. 例： あしたは　たぶん　（ (雨) 、雨だ、雨の）でしょう。

1） ミラーさんは　とても　（まじめ、まじめだ、まじめです）と　思います。

2） これから　だんだん　寒く　（なる、なった、なって）でしょう。

3） 田中さんは　（会議室、会議室だ、会議室で）かも　しれません。

4） きょうは　（残業しなければ　なりません、残業しなければ　ならない、残業しなければ　ならなくて）かも　しれません。

7.

今月の　星占い

牡牛座（4月21日　—　5月21日）

☆仕事……何か　新しい　仕事を　始めると、成功するでしょう。
でも、働きすぎには　気を　つけた　ほうが　いいでしょう。

☆お金……今月は　いくら　お金を　使っても、困らないでしょう。
宝くじを　買うと、当たるかも　しれません。

☆健康……東の　方へ　旅行したり、スポーツを　したり　すると、元気に　なります。　でも、足の　けがには　気を　つけて　ください。

☆恋愛……一人で　コンサートや　展覧会に　出かけると、いいでしょう。
その　とき　会った　人が　将来の　恋人に　なるかも　しれません。

1）（　　）新しい　仕事を　始めると、いいです。

2）（　　）宝くじを　買うと、お金持ちに　なるかも　しれません。

3）（　　）スポーツを　すると、足に　けがを　して　しまいますから、スポーツを　しない　ほうが　いいでしょう。

4）（　　）恋人と　コンサートや　展覧会に　行った　ほうが　いいです。

第 33 課

文型

1. 急げ。
2. 触るな。
3. 立入禁止は　入るなと　いう　意味です。
4. ミラーさんは　来週　大阪へ　出張すると　言って　いました。

例文

1. だめだ。　もう　走れない。
   …頑張れ。　あと　1,000メートルだ。

2. もう　時間が　ない。
   …まだ　1分　ある。　あきらめるな。　ファイト！

3. あそこに　何と　書いて　あるんですか。
   …「止まれ」と　書いて　あります。

4. あの　漢字は　何と　読むんですか。
   …「禁煙」です。
   たばこを　吸うなと　いう　意味です。

5. この　マークは　どういう　意味ですか。
   …洗濯機で　洗えると　いう　意味です。

6. グプタさんは　いますか。
   …今　出かけて　います。　30分ぐらいで　戻ると　言って　いました。

7. すみませんが、渡辺さんに　あしたの　パーティーは　6時からだと　伝えて　いただけませんか。
   …わかりました。　6時からですね。

会話

これは　どういう　意味ですか

ワット　：　すみません。　わたしの　車に　こんな　紙が　はって　あったんですが、この　漢字は　何と　読むんですか。

大学職員：　「ちゅうしゃいはん」です。

ワット　：　ちゅうしゃいはん……、どういう　意味ですか。

大学職員：　車を　止めては　いけない　場所に　止めたと　いう　意味です。　ワットさん、どこに　止めたんですか。

ワット　：　駅の　前です。　雑誌を　買いに　行って、10分だけ……。

大学職員：　そりゃあ、駅の　前だったら、10分でも　だめですよ。

ワット　：　これは　何と　書いて　あるんですか。

大学職員：　「１週間以内に　警察へ　来て　ください」と　書いて　あります。

ワット　：　それだけですか。　罰金は　払わなくても　いいんですか。

大学職員：　いいえ、あとで　15,000円　払わないと　いけません。

ワット　：　えっ。　15,000円ですか。
雑誌は　300円だったんですけど……。

33

練習(れんしゅう) A

1.

	ます形(けい)			命令形(めいれいけい)		禁止形(きんしけい)		
Ⅰ	か	き	ます	か	け	か	く	な
	およ	ぎ	ます	およ	げ	およ	ぐ	な
	の	み	ます	の	め	の	む	な
	あそ	び	ます	あそ	べ	あそ	ぶ	な
	すわ	り	ます	すわ	れ	すわ	る	な
	い	い	ます	い	え	い	う	な
	た	ち	ます	た	て	た	つ	な
	だ	し	ます	だ	せ	だ	す	な

	ます形(けい)		命令形(めいれいけい)		禁止形(きんしけい)		
Ⅱ	さげ	ます	さげ	ろ	さげ	る	な
	で	ます	で	ろ	で	る	な
	み	ます	み	ろ	み	る	な
	おり	ます	おり	ろ	おり	る	な

	ます形(けい)		命令形(めいれいけい)	禁止形(きんしけい)	
Ⅲ	き	ます	こい	くる	な
	し	ます	しろ	する	な

2.

交通規則(こうつうきそく)を	にげろ。 まもれ。
電車(でんしゃ)の 中(なか)で	うごくな。 さわぐな。

3.

あそこに	「くるまを とめるな」	と	書(か)いて あります。
あの 漢字(かんじ)は	「いりぐち」		読(よ)みます。

4. この マークは

	とまれ	と いう 意味(いみ)です。
水(みず)で	あらえる	
たばこを	すっては いけない	

5. 山田(やまだ)さんは

あした 5時(じ)に	くる	と 言(い)って いました。
運動会(うんどうかい)に	さんかしない	
きのう 荷物(にもつ)を	おくった	

練習 B

1. 例1： → 金を 出せ。
   例2： → ボールを 投げるな。
   1） →　　2） →　　3） →
   4） →　　5） →　　6） →

2. 例： → あそこに 何と 書いて ありますか。
   ……「触るな」と 書いて あります。
   1） →　　2） →　　3） →

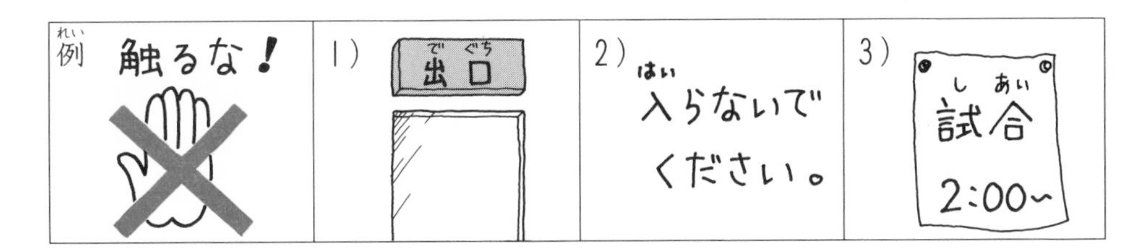

3. 例： （こしょう） → これは 何と 読みますか。
   ……「こしょう」と 読みます。
   1） （おす） →　　2） （ひじょうぐち） →
   3） （じどうはんばいき） →

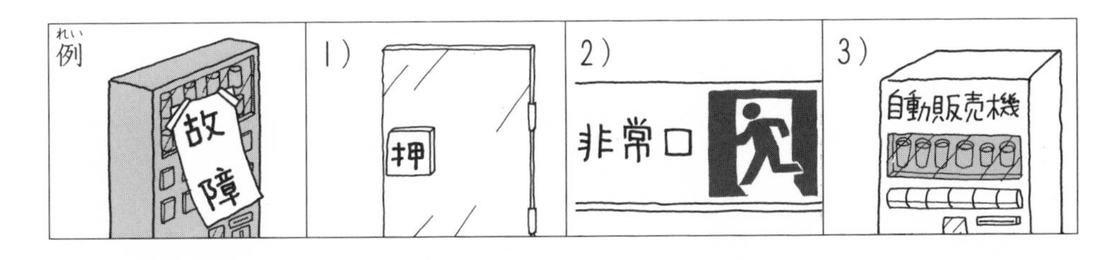

4．例：→ あれは　どういう　意味ですか。
　　……右へ　曲がるなと　いう　意味です。

1）→　　2）→　　3）→　　4）→

例	1）	2）	3）	4）
	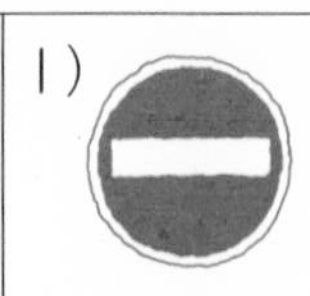	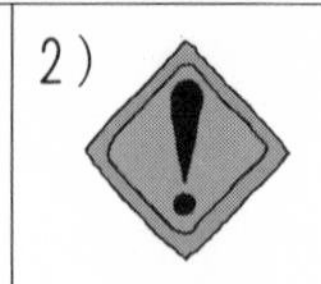	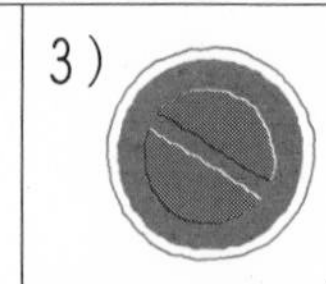	

5．例：（今　使って　います）→ この　漢字は　どういう　意味ですか。
　　……今　使って　いると　いう　意味です。

1）（きょうは　休みです）→
2）（使っては　いけません）→
3）（今　店が　開いて　います）→
4）（お金を　払わなくても　いいです）→

例	1）	2）	3）	4）
使用中	本日休業	使用禁止	営業中	無料

6．例：田中さん（「お弁当を　買いに　行きます」）
　→ 田中さんは　何と　言って　いましたか。
　　……お弁当を　買いに　行くと　言って　いました。

1）先生（「あしたの　試験は　とても　簡単です」）→
2）鈴木さん（「運動会に　参加できません」）→
3）ミラーさん（「30分　遅れます」）→
4）シュミットさん（「今度の　日曜日　いっしょに　ゴルフに　行きましょう」）→

7．例：田中さん・「あしたの　会議は　2時からです」
　→ 田中さんに　あしたの　会議は　2時からだと　伝えて　いただけませんか。

1）先生・「きょうは　柔道の　練習に　行けません」→
2）渡辺さん・「5時半に　駅で　待って　います」→
3）中村課長・「あしたは　都合が　悪いです」→
4）部長・「ロンドンの　ホテルを　予約しました」→

練習 C

1\. A： すみません。 あれは 何と 読むんですか。

B： ①「使用禁止」です。

A： どういう 意味ですか。

B： ②使っては いけないと いう 意味です。

A： わかりました。 どうも ありがとう ございました。

1） ① 「営業中」

② 店が 開いて います

2） ① 「無料」

② お金を 払わなくても いいです

2\. A： 小川さんから 電話が ありましたよ。

B： そうですか。 何か 言って いましたか。

A： 夕方 5時半ごろ 戻ると 言って いました。

B： そうですか。

1） あした 10時に 来ます

2） 今晩の パーティーに 出席できません

3\. A： 鈴木さんは いらっしゃいますか。

B： ①今 席を 外して いるんですが……。

A： じゃ、すみませんが、②あしたの 会議は 2時からだと 伝えて いただけませんか。

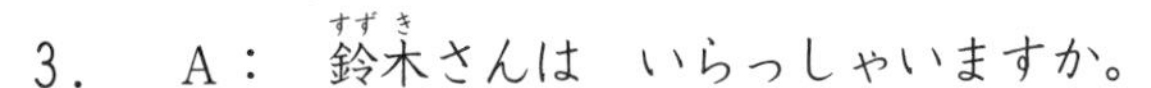

B： はい、わかりました。

1） ① まだ 来て いません

② 午後の ミーティングは ありません

2） ① 今 会議中です

② 出張は 来週に なりました

問題

1. 1)「みんなの　日本語」＿＿＿＿＿＿＿＿＿＿＿＿

   2) ＿＿＿＿＿＿＿＿＿＿＿＿＿＿＿＿＿＿＿＿

2. 1)（　　）　2)（　　）　3)（　　）　4)（　　）　5)（　　）

3.

例：　行きます	行け	行くな	4)　止めます		
1)　急ぎます			5)　忘れます		
2)　立ちます			6)　来ます		
3)　出します			7)　運転します		

4. 例：　これは　＿＿入るな＿＿　と　いう　意味です。

例	1)	2)	3)
			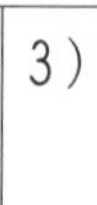 

1)　これは　＿＿＿＿＿＿＿＿＿＿　と　いう　意味です。

2)　これは　＿＿＿＿＿＿＿＿＿＿　と　いう　意味です。

3)　これは　＿＿＿＿＿＿＿＿＿＿　と　いう　意味です。

5. 例：　この　漢字は　＿＿今　店が　開いて　いる＿＿　と　いう　意味です。

例	1)	2)	3)
営業中	無料	故障	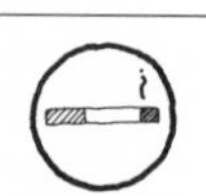

1)　この　漢字は　お金を　＿＿＿＿＿＿＿＿　と　いう　意味です。

2)　この　漢字は　今　＿＿＿＿＿＿＿＿＿＿　と　いう　意味です。

3)　この　マークは　ここで　＿＿＿＿＿＿＿＿　と　いう　意味です。

6． 例： グプタ：ミラーさんに 「資料は あした 送ります」と 伝えて
いただけませんか。
山田 ：はい、わかりました。
→ 山田： ミラーさん、グプタさんが 資料は あした 送る と
言って いました。

1） 木村：ミラーさんに 「きょうは 柔道の 練習が ありません」と
伝えて いただけませんか。
山田：はい、わかりました。
→ 山田： ミラーさん、＿＿＿が ＿＿＿＿＿＿＿＿＿＿＿＿と
言って いました。

2） 渡辺：ミラーさんに 「この 本は とても 役に 立ちました」と
伝えて いただけませんか。
山田：はい、わかりました。
→ 山田： ミラーさん、＿＿＿が ＿＿＿＿＿＿＿＿＿＿＿＿と
言って いました。

3） 田中：ミラーさんに 「展覧会は 4日から 1週間の 予定です」と
伝えて いただけませんか。
山田：はい、わかりました。
→ 山田： ミラーさん、＿＿＿が ＿＿＿＿＿＿＿＿＿＿＿＿と
言って いました。

7．

電報

昔 電話が まだ あまり なかった とき、人々は 急用が ある ときは、電報を 打ちました。
電報代が 高かったですから、できるだけ 短く 書きました。 また 全部 かたかなで 書かなければ なりませんでした。 例えば 「ハハキトクスグカエレ」です。 これは 「お母さんが 重い 病気だから、すぐ 帰れ」と いう 意味です。 時々 意味が わからない ときが ありました。 「アスルスバンニコイ」は 「明日 留守。 晩に 来い」と いう 意味でしょうか。 「明日 留守番に 来い」でしょうか。
今は 電報は 結婚の お祝いや 人が 亡くなった ときの 悲しみを 伝えたい ときに、よく 利用します。 また、ひらがなや 漢字も 使えます。

1）（　　）昔 電話が ない 人は 電報で 急ぐ 用事を 伝えました。
2）（　　）昔 電報は 全部 かたかなで 書きました。
3）（　　）今は 電報は 結婚式と 葬式の ときしか 使いません。

第 34 課

文 型

1. わたしが 今から 言う とおりに、書いて ください。
2. ごはんを 食べた あとで、歯を 磨きます。
3. コーヒーは 砂糖を 入れないで 飲みます。

例 文

1. 皆さん、盆踊りを 練習しましょう。
   …はい。
   わたしが する とおりに、踊って ください。

2. おもしろい 夢を 見ました。
   …どんな 夢ですか。 見た とおりに、話して ください。

3. この テーブルは 自分で 組み立てるんですか。
   …ええ、説明書の とおりに、組み立てて ください。 簡単です。

4. どこで 財布を 落としたんですか。
   …わかりません。 うちへ 帰った あとで、気が ついたんです。

5. 仕事の あとで、飲みに 行きませんか。
   …すみません。 きょうは スポーツクラブへ 行く 日なんです。

6. 友達の 結婚式に 何を 着て 行ったら いいですか。
   …そうですね。 日本では 男の 人は 黒か 紺の スーツを 着て、白い ネクタイを して 行きます。

7. これは しょうゆを つけるんですか。
   …いいえ、何も つけないで 食べて ください。

8. 少し 細く なりましたね。 ダイエットしたんですか。
   …いいえ。 バスに 乗らないで、駅まで 歩いて いるんです。

会　話

する　とおりに　して　ください

クララ　　　：一度　茶道が　見たいんですが……。
渡　辺　　　：じゃ、来週の　土曜日　いっしょに　行きませんか。

お茶の　先生：渡辺さん、お茶を　たてて　ください。
クララさん、お菓子を　先に　どうぞ。
クララ　　　：えっ、先に　お菓子を　食べるんですか。
お茶の　先生：ええ。　甘い　お菓子を　食べた　あとで、お茶を
飲むと、おいしいんですよ。
クララ　　　：そうですか。
お茶の　先生：では、お茶を　飲みましょう。
わたしが　する　とおりに、して　くださいね。
まず　右手で　おちゃわんを　取って、左手に　載せます。
クララ　　　：これで　いいですか。
お茶の　先生：はい。　次に　おちゃわんを　2回　回して、それから
飲みます。

お茶の　先生：いかがですか。
クララ　　　：少し　苦いですが、おいしいです。

練習(れんしゅう) A

1.
わたしが　今(いま)から	せつめいする	とおりに、パソコンの　キーを
わたしが　さっき	いった	
この	ばんごうの	
この	せつめいしょの	

押(お)して　ください。

2.
仕事(しごと)が	おわった	あとで、	飲(の)みに　行(い)きます。
説明(せつめい)を	きいた		質問(しつもん)します。
	スポーツの		シャワーを　浴(あ)びます。
	しょくじの		コーヒーを　飲(の)みます。

3.
傘(かさ)を	もって	出(で)かけます。
朝(あさ)ごはんを	たべて	会社(かいしゃ)へ　行(い)きます。
傘(かさ)を	もたないで	出(で)かけます。
朝(あさ)ごはんを	たべないで	会社(かいしゃ)へ　行(い)きます。

4.
日曜日(にちようび)　どこも	いか	ないで、	うちに　います。
エレベーターに	のら		階段(かいだん)を　使(つか)います。
仕事(しごと)を	し		遊(あそ)んで　います。

練習　B

1.　例：　さっき　言いました・いすを　並べて　ください
　　　→　さっき　言った　とおりに、いすを　並べて　ください。

　1）　わたしが　します・やって　ください　→
　2）　母に　習いました・料理を　作りました　→
　3）　歯医者に　教えて　もらいました・歯を　磨いて　います　→
　4）　説明書に　書いて　あります・この　薬を　飲んで　ください　→

2.　例：　ボタンを　押します
　　　→　番号の　とおりに、ボタンを　押して　ください。

　1）　行きます　→
　2）　紙を　切ります　→
　3）　紙を　折ります　→
　4）　家具を　組み立てます　→

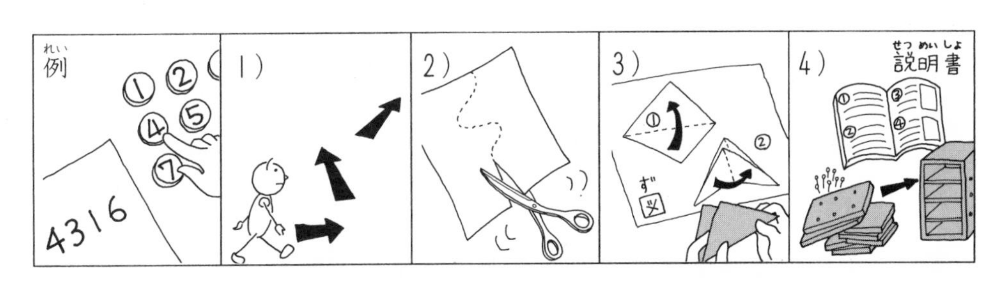

3.　例1：　学校の　中を　見学しました・質問しました
　　　→　学校の　中を　見学した　あとで、質問しました。
　例2：　映画・彼女と　海を　見に　行きました
　　　→　映画の　あとで、彼女と　海を　見に　行きました。

　1）　運動しました・ビールを　飲みました　→
　2）　新しいのを　買いました・なくした　時計が　見つかりました　→
　3）　コンサート・食事を　しましょう　→
　4）　ジョギング・シャワーを　浴びます　→

4.　例：　いつ　忘れ物に　気が　つきましたか。(バスを　降ります)
→　バスを　降りた　あとで、気が　つきました。

1)　いつ　サッカーの　練習を　しますか。(土曜日　仕事が　終わります)
→

2)　すぐ　食事を　しますか。(いいえ、おふろに　入ります)　→

3)　いつ　タワポンさんに　会いますか。(講義)　→

4)　すぐ　出かけますか。(いいえ、昼ごはん)　→

5.　例：　→　眼鏡を　かけて　本を　読みます。
→　眼鏡を　かけないで　本を　読みます。

1)　→　　2)　→　　3)　→　　4)　→　　5)　→
→　　→　　→　　→　　→

6.　例：　ゆうべは　寝ませんでした・彼女に　長い　手紙を　書きました
→　ゆうべは　寝ないで、彼女に　長い　手紙を　書きました。

1)　いつも　バスに　乗りません・駅まで　歩いて　行きます　→

2)　ケーキは　買いません・自分で　作ります　→

3)　テレホンカードは　捨てません・集めて　います　→

4)　きのうは　どこも　行きませんでした・うちで　ビデオを　見ました　→

練習　C

1.　A：　この　①てんぷら、ミラーさんが　作ったんですか。

　　B：　ええ。　②料理の　本に　書いて　ある　とおりに
　　　　作ったんですが……。

　　A：　とても　おいしいです。

　　B：　ああ、よかった。

　　　1）　①　カレー
　　　　　②　友達に　教えて　もらいました

　　　2）　①　ケーキ
　　　　　②　テレビの　料理番組で　見ました

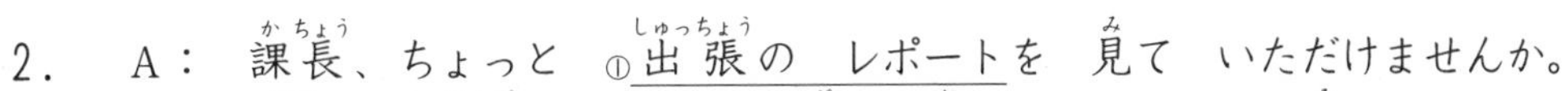

2.　A：　課長、ちょっと　①出張の　レポートを　見て　いただけませんか。

　　B：　②今から　会議ですから、③会議が　終わった　あとで、見ます。

　　A：　お願いします。

　　　1）　①　支店へ　送る　資料
　　　　　②　もうすぐ　お客さんが　来ます
　　　　　③　お客さんが　帰ります

　　　2）　①　パワー電気の　部長に　出す　手紙
　　　　　②　今　忙しいです
　　　　　③　昼ごはんを　食べます

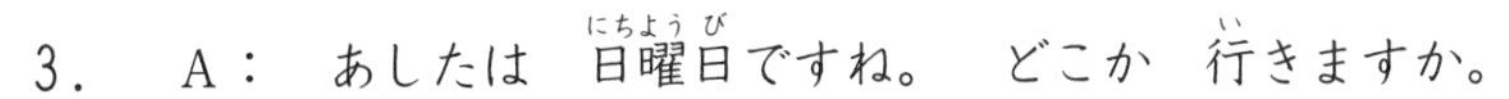

3.　A：　あしたは　日曜日ですね。　どこか　行きますか。

　　B：　ええ。　①子どもを　プールへ　連れて　行かなければ　ならないんです。
　　　　田中さんは？

　　A：　②どこも　出かけないで、ゆっくり　休もうと　思って　います。

　　B：　そうですか。　いいですねえ。

　　　1）　①　子どもの　野球の　試合を
　　　　　　　見に　行きます
　　　　　②　何も　しません

　　　2）　①　友達の　引っ越しを　手伝いに
　　　　　　　行きます
　　　　　②　どこも　行きません

問題(もんだい)

1\. 1) ＿＿＿＿＿＿＿＿＿＿＿＿＿＿＿＿＿＿＿＿
2) ＿＿＿＿＿＿＿＿＿＿＿＿＿＿＿＿＿＿＿＿
3) ＿＿＿＿＿＿＿＿＿＿＿＿＿＿＿＿＿＿＿＿
4) ＿＿＿＿＿＿＿＿＿＿＿＿＿＿＿＿＿＿＿＿

2\. 1)（　　）　2)（　　）　3)（　　）　4)（　　）　5)（　　）

3\. 例(れい)：　わたしが　（　説明(せつめい)した　）　とおりに、箱(はこ)を　組(く)み立(た)てて　ください。

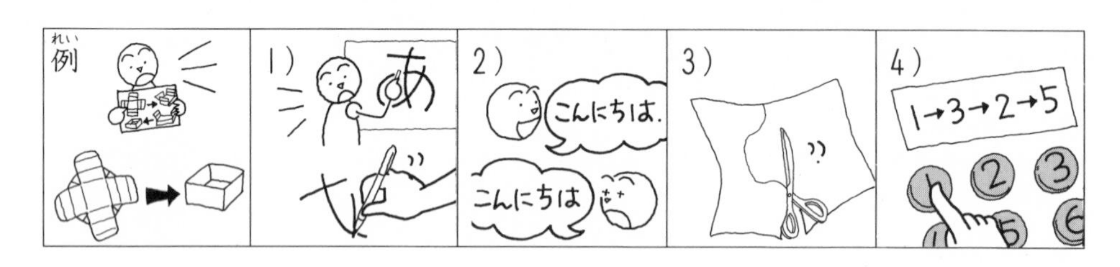

1)　わたしが　（　　　　）　とおりに、＿＿＿＿＿＿＿＿＿＿＿＿＿＿＿。
2)　今(いま)から　わたしが　（　　　　）　とおりに、＿＿＿＿＿＿＿＿＿＿＿＿＿＿＿。
3)　この　（　　　　）　とおりに、＿＿＿＿＿＿＿＿＿＿＿＿＿＿＿。
4)　（　　　　）　とおりに、＿＿＿＿＿＿＿＿＿＿＿＿＿＿＿。

4\. 例(れい)：　ジョギングを　した　あとで、シャワーを　浴(あ)びました。

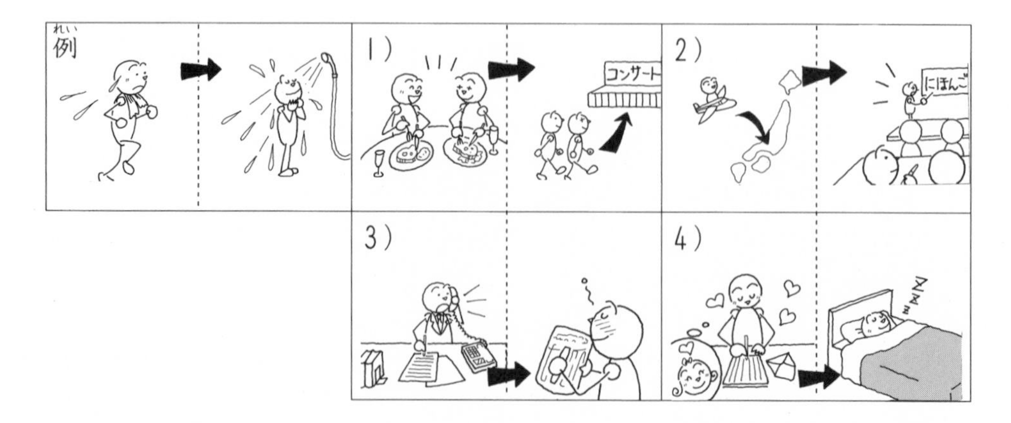

1) ＿＿＿＿＿＿＿＿＿＿　あとで、＿＿＿＿＿＿＿＿＿＿＿＿＿。
2) ＿＿＿＿＿＿＿＿＿＿　から、＿＿＿＿＿＿＿＿＿＿＿＿＿。
3) ＿＿＿＿＿＿＿＿＿＿　あとで、＿＿＿＿＿＿＿＿＿＿＿＿＿。
4) ＿＿＿＿＿＿＿＿＿＿　まえに、＿＿＿＿＿＿＿＿＿＿＿＿＿。

5. 例：　あしたは　会社を　休みますか。（働きます）

…いいえ、休まないで、働きます。

1）　週末は　どこか　行きますか。（うちで　本を　読みます）

…いいえ、＿＿＿＿＿＿＿＿＿＿＿＿＿＿＿＿。

2）　ことしの　夏休みは　国へ　帰りますか。（北海道を　旅行します）

…いいえ、＿＿＿＿＿＿＿＿＿＿＿＿＿＿＿＿。

3）　デパートで　何か　買いましたか。（すぐ　帰りました）

…いいえ、＿＿＿＿＿＿＿＿＿＿＿＿＿＿＿＿。

4）　日曜日は　出かけましたか。（レポートを　まとめました）

…いいえ、＿＿＿＿＿＿＿＿＿＿＿＿＿＿＿＿。

6. 例：　朝ごはんを　（食べて、（食べないで）、食べながら）　来ましたから、おなかが　すきました。

1）　財布を　（持って、持たないで、持ったら）　出かけましたから、何も買えませんでした。

2）　みんなと　（話して、話すと、話しながら）　食事します。

3）　ネクタイを　（して、しながら、すると）　パーティーに　出席します。

4）　ボタンを　（押しても、押して、押さないで）、お釣りが　出ません。

7.

親子どんぶりの　作り方

材料（1人分）　　鳥肉（50グラム）、卵（1個）、たまねぎ（$\frac{1}{4}$個）、調味料（しょうゆ、砂糖、酒）、ごはん

1. 鳥肉、たまねぎを　切ります。　切り方は　（1）の　とおりです。
2. なべに　水と　調味料を　入れて、火に　かけます。
3. 調味料が　熱く　なったら、（1）の　材料を　入れて、煮ます。
4. 肉が　煮えたら、卵を　入れます。　卵を　入れた　あとで、火を消します。
5. 1分ぐらい　あとで、どんぶりの　ごはんの　上に　載せます。

上の　説明の　とおりに、下の　絵に　番号を　書いて　ください。

第 35 課

文型

1. 春に なれば、桜が 咲きます。
2. 天気が よければ、向こうに 島が 見えます。
3. 北海道旅行なら、6月が いいです。
4. 結婚式の スピーチは 短ければ 短いほど いいです。

例文

1. 車の 窓が 開かないんですが……。
   …その ボタンを 押せば、開きますよ。

2. ほかに 意見が ありますか。
   …いいえ、特に ありません。
   なければ、これで 終わりましょう。

3. 日本の 生活は どうですか。
   …何でも あって、便利です。 でも、もう 少し 物価が
   安ければ、もっと いいと 思います。

4. あしたまでに レポートを 出さなければ なりませんか。
   …無理なら、金曜日までに 出して ください。

5. 2、3日 旅行を しようと 思って いるんですが、どこか いい 所は ありませんか。
   …そうですね。 2、3日なら、箱根か 日光が いいと 思います。

6. 本を 借りたいんですが、どう すれば いいですか。
   …受付で カードを 作って もらって ください。

7. 小川よねさんは 元気な 方ですね。
   …ええ。 年を 取れば 取るほど 元気に なりますね。

会話

旅行社へ 行けば、わかります

鈴木さん、冬休みに 友達と スキーに 行きたいんですが、

か いい 所、ありませんか。

ぐらいの 予定ですか。

ぐらいです。

なら、草津か 志賀高原が いいと 思いますよ。

も あるし……。

やって 行くんですか。

でも 行けますが、夜行バスなら、朝 着きますから、

ですよ。

らが 安いんですか。

……。 旅行社へ 行けば もっと 詳しい ことが

ります。

から、スキーの 道具や 服は 何も 持って

いんですが……。

スキー場で 借りられますよ。

なら、旅行社で 予約も できるし……。

ですか。 どうも ありがとう ございました。

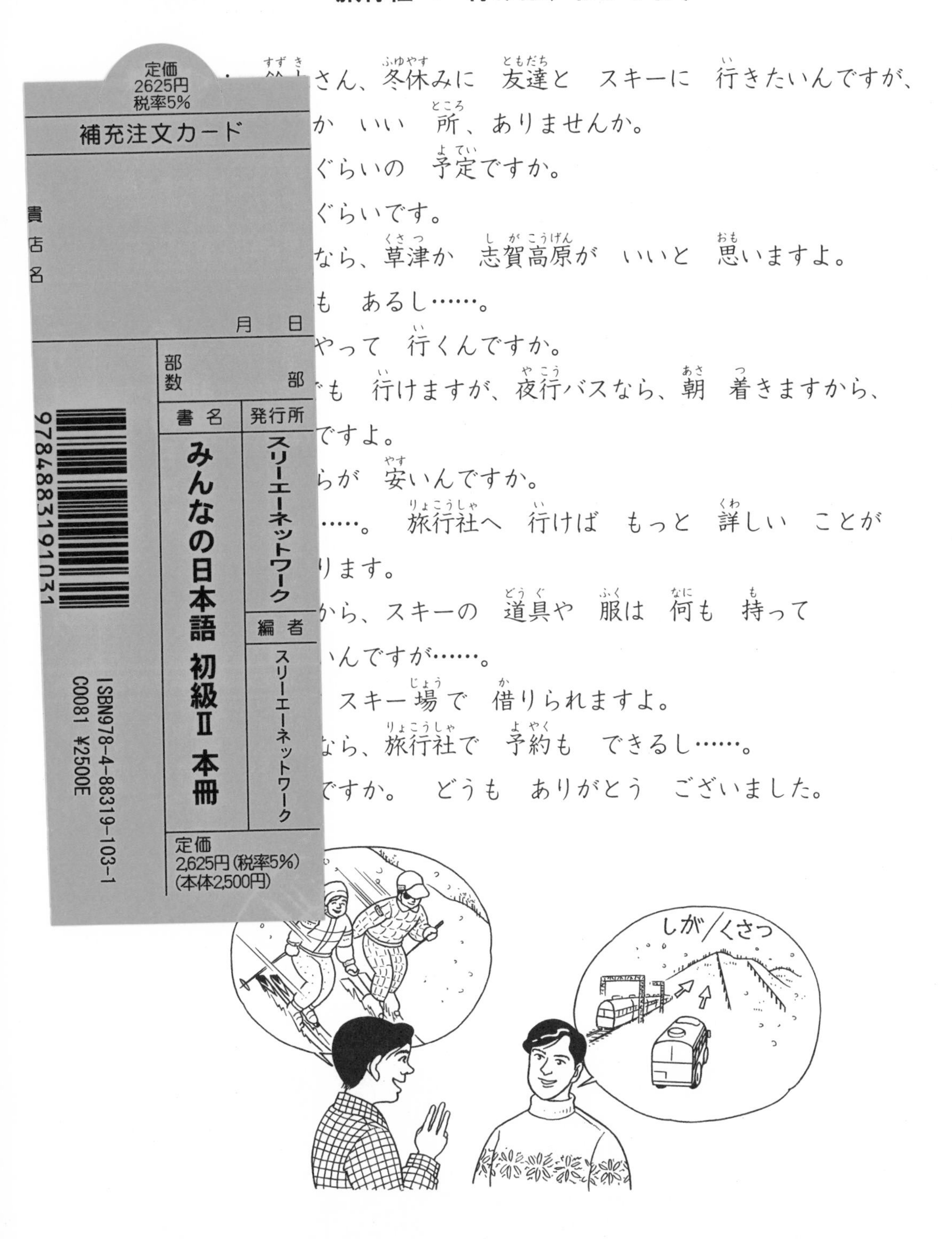

35

練習(れんしゅう) A

1.

	ます形(けい)			条件形(じょうけんけい)		
I	き	き	ます	き	け	ば
	いそ	ぎ	ます	いそ	げ	ば
	の	み	ます	の	め	ば
	よ	び	ます	よ	べ	ば
	ふ	り	ます	ふ	れ	ば
	おも	い	ます	おも	え	ば
	ま	ち	ます	ま	て	ば
	だ	し	ます	だ	せ	ば
II	はれ		ます	はれ	れ	ば
	おり		ます	おり	れ	ば
III	き		ます	くれ		ば
	し		ます	すれ		ば

			条件形(じょうけんけい)		
い形(けい)	たか	い	たか	けれ	ば
	ただし	い	ただし	けれ	ば
な形(けい)	きれい	[な]	きれい	なら	
	まじめ	[な]	まじめ	なら	
名詞(めいし)	あめ		あめ	なら	
	むりょう		むりょう	なら	

2.

説明書(せつめいしょ)を	よめば、	使(つか)い方(かた)が　わかります。
山田(やまだ)さんに	きけば、	
図(ず)を	みれば、	

3.

ボールペンが	なければ、	鉛筆(えんぴつ)で　書(か)いても　いいです。
6時(じ)に	おきなければ、	会社(かいしゃ)に　遅(おく)れます。
部長(ぶちょう)に	そうだんしなければ、	決(き)められません。

4.

きょう	いそがしければ、	あした　来(き)て　ください。
体(からだ)の　調子(ちょうし)が	よければ、	
きょう　都合(つごう)が	わるければ、	

5. 土曜日(どようび)

	ひま	なら、海(うみ)に　行(い)きませんか。
いい	てんき	
	やすみ	

6. パソコンは

	つかえば	つかう	ほど	上手(じょうず)に　なります。
	あたらしければ	あたらしい		便利(べんり)です。
操作(そうさ)が	かんたんなら	かんたんな		いいです。

練習 B

1．例：秋に　なります・木の　葉の　色が　変わります
　　→　秋に　なれば、木の　葉の　色が　変わります。
　1）道が　できます・村の　生活は　もっと　便利に　なります　→
　2）急ぎます・9時の　新幹線に　間に　合うでしょう　→
　3）おじいさんに　聞きます・昔の　ことが　わかります　→
　4）機会が　あります・アフリカへ　行きたいです　→

2．例：許可が　ありません・ここでは　写真が　撮れません
　　→　許可が　なければ、ここでは　写真が　撮れません。
　1）あした　荷物が　着きません・連絡して　ください　→
　2）英語が　話せません・海外旅行の　とき、困ります　→
　3）ネクタイを　しません・あの　レストランに　入れません　→
　4）眼鏡を　かけません・辞書の　字が　読めません　→

3．例1：暑いです・エアコンを　つけて　ください
　　→　暑ければ、エアコンを　つけて　ください。
　例2：あした　いい　天気です・ハイキングに　行きます
　　→　あした　いい　天気なら、ハイキングに　行きます。
　1）答えが　正しいです・丸を　つけて　ください　→
　2）天気が　いいです・屋上から　港が　見えます　→
　3）この　方法が　だめです・あの　方法で　やりましょう　→
　4）50メートルぐらいです・泳げます　→

4．例：パソコンを　買いたいんですが。（パソコン・パワー電気の）
　　→　パソコンなら、パワー電気のが　いいですよ。
　1）スキーに　行こうと　思って　いるんですが。（スキー・北海道）　→
　2）柔道の　教室を　探して　いるんですが。（柔道・山下教室）　→
　3）日本料理の　本を　紹介して　ください。（日本料理・「母の　味」）
　　→
　4）この　近所に　おいしい　パン屋は　ありませんか。
　　（パン屋・「フランス屋」）　→

5.　例：　ビデオが　つかないんですが。(この　ボタンを　押します)
　　→　この　ボタンを　押せば、つきますよ。
　1)　洗濯機が　動かないんですが。(ふたを　閉めます)　→
　2)　お釣りが　出ないんですが。(白い　ボタンを　押します)　→
　3)　お湯が　熱く　ならないんですが。(この　つまみを　右へ　回します)　→
　4)　ドアが　開かないんですが。(ドアに　ちょっと　触ります)　→

6.　例：　この　時計は　まだ　使えますか。(電池を　換えます)
　　→　ええ、電池を　換えれば、まだ　使えます。
　1)　この　箱を　捨てても　いいですか。(要りません)　→
　2)　薬を　飲まなければ　なりませんか。(早く　元気に　なりたいです)　→
　3)　運動会に　参加しなくても　いいですか。(都合が　悪いです)　→
　4)　ピアノが　弾けますか。(簡単な　曲です)　→

7.　例：　財布を　拾いました・どう　しますか
　　→　財布を　拾ったんですが、どう　すれば　いいですか。
　1)　電車に　忘れ物を　しました・どう　しますか　→
　2)　コピーの　紙が　ありません・だれに　言いますか　→
　3)　お葬式に　行きます・何を　持って　行きますか　→
　4)　友達が　結婚します・どんな　物を　あげますか　→

8.　例：　野菜・新しいです・おいしいです
　　→　野菜は　新しければ　新しいほど　おいしいです。
　1)　東京・住みます・おもしろい　町です　→
　2)　ビートルズの　音楽・聞きます・好きに　なります　→
　3)　給料・多いです・いいです　→
　4)　車・操作が　簡単です・運転が　楽です　→

練習　C

1.　A：　もうすぐ　①春ですね。
　　B：　そうですね。　①春に　なれば、
　　　　この　辺では　②花見が　できますよ。
　　A：　そうですか。　楽しみです。

　　1）　①　夏
　　　　②　おもしろい　花火が　見られます
　　2）　①　秋
　　　　②　おいしい　果物が　食べられます

2.　A：　すみません。　①お湯が　出ないんですが……。
　　B：　②左の　つまみを　③回しましたか。
　　A：　②つまみ？
　　B：　②左の　つまみを　③回さなければ、①出ませんよ。
　　A：　あ、そうですか。

　　1）　①　電話が　かかりません
　　　　②　初めに　ゼロ
　　　　③　押します
　　2）　①　カーテンが　閉まりません
　　　　②　横の　ひも
　　　　③　引きます

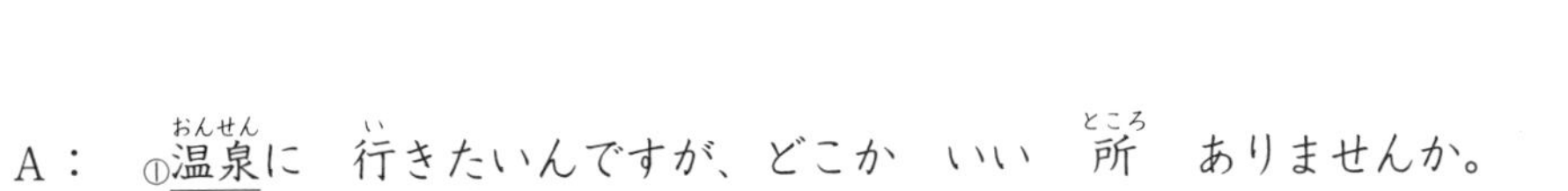

3.　A：　①温泉に　行きたいんですが、どこか　いい　所　ありませんか。
　　B：　①温泉なら、白馬が　いいですよ。
　　　　②景色が　きれいだし、あまり　込んで　いませんから。
　　A：　そうですか。

　　1）　①　スキー
　　　　②　設備が　いいです
　　2）　①　山登り
　　　　②　珍しい　花が　見られます

問題

1\. 1）＿＿＿＿＿＿＿＿＿＿
   2）＿＿＿＿＿＿＿＿＿＿
   3）＿＿＿＿＿＿＿＿＿＿
   4）＿＿＿＿＿＿＿＿＿＿

2\. 1）（　　）　2）（　　）　3）（　　）　4）（　　）　5）（　　）

3\.

例：行きます	行けば	行かなければ	5）話します		
1）飲みます			6）食べます		
2）急ぎます			7）降ります		
3）待ちます			8）来ます		
4）買います			9）します		
例：暑いです		暑ければ	例：暇です		暇なら
10）おもしろいです			12）にぎやかです		
11）安いです			13）病気です		

4\. 例：　この　時計は　（　修理すれば　）、まだ　使えます。
   1）　来週に　（　　　　　　）、桜が　咲くと　思います。
   2）　（　　　　　　）、次の　電車に　間に　合います。
   3）　この　仕事は　経験が　（　　　　　　）、できません。
   4）　この　洗濯機は　ふたを　（　　　　　　）、動きません。
   5）　値段が　（　　　　　　）、自転車を　買います。
   6）　天気が　（　　　　　　）、富士山が　見えます。
   7）　土曜日　（　　　　　　）、テニスでも　しませんか。
   8）　大阪から　東京まで　（　　　　　　）、3時間で　行けます。

5\. 例：　この　近くに　おいしい　すし屋が　ありますか。
   → おいしい　すし屋なら、（　a　）。

a．ホテルの　隣に　あります	b．10分ぐらいです
c．待って　います	d．花瓶は　どうですか

1）　タクシーで　どのくらい　かかりますか。…＿＿＿＿＿＿＿＿、（　　）。
2）　5千円ぐらいの　プレゼントを　買いたいんですが。…＿＿＿＿、（　　）。
3）　30分ぐらい　遅れるかも　しれません。…＿＿＿＿＿＿＿＿、（　　）。

6．　例：　ビデオが　つかないんですが、どの　ボタンを　(押せば)、つきますか。
　　　　…右の　ボタンを　押して　ください。
　　1）　スキー旅行に　参加したいんですが、いつまでに　（　　）、いいですか。
　　　　…あさってまでに　申し込んで　ください。
　　2）　スペインの　ワインが　欲しいんですが、どこへ　（　　）、買えますか。
　　　　…駅の　前の　スーパーへ　行ったら、買えますよ。
　　3）　コピー機が　故障したんですが、だれに　（　　）、いいですか。
　　　　…事務所の　人に　言って　ください。

7．　例：　頭は（　使えば　）　（　使う　）ほど　よく　なります。

新しいです	~~使います~~	勉強します	早いです

1）　日本語は　（　　　　　）　（　　　　　）ほど　おもしろく　なります。
2）　電車は　朝　（　　　　　）　（　　　　　）ほど　すいて　います。
3）　魚は　（　　　　　）　（　　　　　）ほど　おいしいです。

8．　「朱に　交われば　赤く　なる」

これは　ことわざです。
　白ワインに　赤ワインを　入れると、ワインは　赤く　なって　しまいます。人も、いい　友達と　仲よく　すれば、いい　人に　なりますが、悪い　友達と　仲よく　すると、悪い　ことを　します。　ですから、悪い　友達と　仲よく　しない　ほうが　いいと　いう　意味です。

1）（　　）いい　友達を　選ばなければ　なりません。
2）（　　）悪い　友達も、いい　友達も　必要です。

復習　G

1.

例：　磨く	磨ける	磨こう	磨け	磨けば
1）　かむ				
2）　選ぶ				
3）　走る				
4）　通う				
5）　立つ				
6）　探す				
7）　続ける				
8）　見る				
9）　来る				
10）　する				

2. 例：　旅行に　行く　まえに、切符を　（買います→　買って　）　おきます。

1）　夏休みは　国へ　（帰ります→　　　　　）と　思って　います。

2）　熱が　高かったら、病院へ　（行きます→　　　　　）　ほうが　いいですよ。

3）　「禁煙」は　たばこを　（吸います→　　　　　）など　いう　意味です。

4）　さっき　（教えます→　　　　　）　とおりに、踊って　ください。

5）　この　説明書を　（読みます→　　　　　）ば、使い方が　わかります。

6）　朝ごはんを　（食べます→　　　　　）ないで　学校へ　行きます。

7）　わたしは　将来　日本で　（働きます→　　　　　）　つもりです。

8）　もしかしたら　会社を　（やめます→　　　　　）かも　しれません。

9）　スポーツを　（します→　　　　　）　あとで、シャワーを　浴びます。

10）　課長は　あしたは　（忙しいです→　　　　　）と　言って　いました。

11）　きょうは　傘を　（持ちます→　　　　　）　出かけます。

12）　日本語の　宿題は　まだ　（やります→　　　　　）　いません。

13）　魚は　（新しいです→　　　　　）ば　新しいほど　おいしいです。

14）　今晩は　雪が　（降ります→　　　　　）でしょう。

15）　車は　操作が　（簡単です→　　　　　）なら　簡単なほど　いいです。

16）　タワポンさんに　講義は　（3時からです→　　　　　）と　伝えて　いただけませんか。

17）　日曜日　（雨です→　　　　　）なら、ハイキングは　ありません。

3．例：　きょうは　（ a．たいへん　b．時々　ⓒ．あまり ）　寒くないです。

1）（ a．たくさん　b．いつでも　c．ずっと ）　日本に　住む
つもりです。

2）空が　とても　暗いですから、午後は　（ a．きっと　b．はっきり
c．確か ）　雨に　なるでしょう。

3）ハンス君は　最近　日本語が　（ a．よく　b．全部で
c．ずいぶん ）　上手に　なりました。

4）弟は　（ a．もしかしたら　b．たぶん　c．きっと ）　大学を
卒業できないかも　しれません。

5）ワット先生は　熱心だし、優しいし、（ a．それで　b．それに
c．ほかに ）　とても　おもしろいです。

6）おなかが　いっぱいに　なりましたから、（ a．もう　b．まだ
c．よく ）　食べられません。

7）妻は　夏休みが　３週間　ありますが、わたしは　１週間（ a．ほど
b．だけ　c．しか ）　ありません。

8）ごはんの　あとでは　すぐ　おふろに　入らないで、（ a．しばらく
b．だんだん　c．ほとんど ）　休んだ　ほうが　いいですよ。

4．例：　将来　［ どこ ］（ に ）　住む　つもりですか。

1）ボランティア（　　）　参加したいんですが、［　　　　］　すれば
いいですか。

2）あの　マークは　［　　　　］　意味ですか。
…車を　止めては　いけない（　　）　いう　意味です。

3）給料は　［　　　　］　欲しいですか。
…そうですね。給料（　　）　多ければ　多いほど　いいです。

4）［　　　　］が　会議（　　）　出席する　予定ですか。
…課長と　わたし（　　）　出席する　予定です。

5）かぜは　［　　　　］ですか。
…あまり　よくないです。熱（　　）　あるし、せき（　　）
出ます。

6）この　道具は　［　　　　］　使うんですか。
…今から　わたしが　する　とおり（　　）、して　ください。

7）［　　　　］　国へ　帰りますか。
…来年の　４月の　初めごろ（　　）　予定です。

8）あの　漢字は　［　　　　］（　　）　読むんですか。
…「営業中」（　　）　読みます。

G

第36課

文　型

1. 速く　泳げるように、毎日　練習して　います。
2. やっと　自転車に　乗れるように　なりました。
3. 毎日　日記を　書くように　して　います。

例　文

1. それは　電子辞書ですか。
　…ええ。　知らない　ことばを　聞いたら、すぐ　調べられるように、
　　持って　いるんです。

2. カレンダーの　あの　赤い　丸は　どういう　意味ですか。
　…ごみの　日です。　忘れないように、つけて　あるんです。

3. 布団には　もう　慣れましたか。
　…はい。　初めは　なかなか　寝られませんでしたが、今は　よく
　　寝られるように　なりました。

4. ショパンの　曲が　弾けるように　なりましたか。
　…いいえ、まだ　弾けません。
　　早く　弾けるように　なりたいです。

5. 工場が　できてから、この　近くの　海では　泳げなく　なりました。
　…そうですか。　残念ですね。

6. 甘い　物は　食べないんですか。
　…ええ。　できるだけ　食べないように　して　いるんです。
　その　ほうが　体に　いいですね。

7. コンサートは　6時に　始まります。
　絶対に　遅れないように　して　ください。　遅れたら、
　入れませんから。
　…はい、わかりました。

会話

頭と　体を　使うように　して　います

アナウンサー：　皆さん、こんにちは。　健康の　時間です。
　　　　　　　　きょうの　お客様は　ことし　80歳の
　　　　　　　　小川よねさんです。
小川　よね　：　こんにちは。
アナウンサー：　お元気ですね。　何か　特別な　ことを　して
　　　　　　　　いらっしゃいますか。
小川　よね　：　毎日　運動して、何でも　食べるように　して　います。
アナウンサー：　どんな　運動ですか。
小川　よね　：　ダンスとか、水泳とか……。
　　　　　　　　最近　タンゴが　踊れるように　なりました。
アナウンサー：　すごいですね。　食べ物は？
小川　よね　：　何でも　食べますが、特に　魚が　好きです。
　　　　　　　　毎日　違う　料理を　作るように　して　います。
アナウンサー：　頭と　体を　よく　使って　いらっしゃるんですね。
小川　よね　：　ええ。　来年　フランスへ　行きたいと　思って、
　　　　　　　　フランス語の　勉強も　始めました。
アナウンサー：　何でも　チャレンジする　気持ちが　大切なんですね。
　　　　　　　　楽しい　お話、どうも　ありがとう　ございました。

練習　A

1.

早く	とどく	ように、	速達で　出します。
日本語が	はなせる		毎日　練習します。
新幹線に	おくれない		早く　うちを　出ます。
電話番号を	わすれない		メモして　おきます。

2.

テレビの　日本語が　かなり	わかる	ように　なりました。
日本語で　自分の　意見が	いえる	
ワープロが　速く	うてる	

3.

日本語で　電話が	かけられる	ように　なりましたか。
新聞の　漢字が	よめる	
コンピューターの　操作が	できる	

……いいえ、まだ	かけられ	ません。
	よめ	
	でき	

4.

あした　遊びに	いけな	く	なりました。
小さい　字が	よめな	く	
結婚式に	しゅっせきできな	く	

5.

仕事が　忙しくても、	10時までに　うちへ	かえる	ように
	子どもと	あそぶ	
	スポーツクラブは	やすまない	
		ざんぎょうしない	

して　います。

6.

もっと　野菜を	たべる	ように　して　ください。
会社を　休む　ときは、必ず	れんらくする	
絶対に　パスポートを	なくさない	
人の　名前を	まちがえない	

練習　B

1.　例1：　新聞が　読めます・漢字を　勉強します

　　　→　新聞が　読めるように、漢字を　勉強します。

　例2：　家族が　心配しません・手紙を　書きます

　　　→　家族が　心配しないように、手紙を　書きます。

1）　はっきり　聞こえます・大きい　声で　言って　ください　→

2）　年を　取っても、働けます・健康に　気を　つけて　います　→

3）　約束の　時間を　忘れません・メモして　おきます　→

4）　道を　まちがえません・地図を　持って　行きましょう　→

2.　例1：　仕事の　あとで、ダンスを　練習して　いるんですか。

　　　（パーティー　で　踊れます）

　　　→　ええ。　パーティーで　踊れるように、練習して　いるんです。

　例2：　ボーナスは　貯金しますか。（年を　取ってから、困りません）

　　　→　ええ。　年を　取ってから、困らないように、貯金します。

1）　柔道を　習って　いるんですか。（国へ　帰ってから、教えられます）
→

2）　毎日　テニスを　練習して　いるんですか。（試合に　出られます）　→

3）　「立入禁止」の　紙が　はって　ありますね。（子どもが　入りません）
→

4）　夜は　いつも　カーテンを　閉めるんですか。（外から　うちの　中が
見えません）　→

3.　例：　日本語が　話せます・少し

　　　→　日本語が　少し　話せるように　なりました。

1）　新聞の　漢字が　読めます・ほとんど　→

2）　テレビの　ニュースが　わかります・かなり　→

3）　このごろ　寝られます・よく　→

4）　ワープロが　打てます・やっと　→

4.　例：　自転車に　乗れます
　　→　もう　自転車に　乗れるように　なりましたか。
　　　……いいえ、まだ　乗れません。　早く　乗れるように　なりたいです。

1）　パソコンが　使えます　→
2）　日本語で　レポートが　書けます　→
3）　ショパンの　曲が　弾けます　→
4）　日本語の　新聞が　読めます　→

5.　例：　太りました・服が　着られません
　　→　太りましたから、服が　着られなく　なりました。

1）　子どもが　病気に　なりました・旅行に　行けません　→
2）　歯が　悪く　なりました・硬い　物が　食べられません　→
3）　マンションに　引っ越ししました・犬が　飼えません　→
4）　うちの　前に　高い　ビルが　できました・海が　見えません　→

6.　例1：　毎日　歩きます
　　→　できるだけ　毎日　歩くように　して　います。
　　例2：　エレベーターに　乗りません
　　→　できるだけ　エレベーターに　乗らないように　して　います。

1）　毎月　5万円ずつ　貯金します　→
2）　野菜を　たくさん　食べます　→
3）　要らない　物は　買いません　→
4）　体が　弱いですから、無理を　しません　→

7.　例1：　規則を　守ります　→　規則を　守るように　して　ください。
　　例2：　約束の　時間に　遅れません
　　→　約束の　時間に　遅れないように　して　ください。

1）　仕事を　休む　ときは、必ず　連絡します　→
2）　食事の　あとで、必ず　歯を　磨きます　→
3）　絶対に　パスポートを　なくしません　→
4）　夜　11時を　過ぎたら、電話を　かけません　→

練習(れんしゅう) C

1.　A：　いつも　①電子辞書(でんしじしょ)を　持(も)って　いるんですか。

　　B：　ええ。　②新(あたら)しい　ことばを　聞(き)いたら、

　　　　すぐ　③意味(いみ)が　調(しら)べられるように、持(も)って　いるんです。

　　A：　そうですか。

　　1）　①　カメラ

　　　　②　おもしろい　物(もの)を　見(み)ます

　　　　③　写真(しゃしん)が　撮(と)れます

　　2）　①　携帯電話(けいたいでんわ)

　　　　②　何(なに)か　あります

　　　　③　連絡(れんらく)できます

2.　A：　①お茶(ちゃ)は　上手(じょうず)に　なりましたか。

　　B：　いいえ、まだまだです。

　　　　早(はや)く　②上手(じょうず)に　お茶(ちゃ)が

　　　　たてられるように　なりたいです。

　　1）　①　剣道(けんどう)

　　　　②　試合(しあい)に　出(で)られます

　　2）　①　料理(りょうり)

　　　　②　おいしい　料理(りょうり)が　作(つく)れます

3.　A：　①肉(にく)を　食(た)べないんですか。

　　B：　ええ。　最近(さいきん)は　できるだけ　②魚(さかな)や　野菜(やさい)を　食(た)べるように　して

　　　　いるんです。

　　A：　その　ほうが　体(からだ)に　いいですね。

　　1）　①　ビールを　飲(の)みません

　　　　②　お酒(さけ)を　飲(の)みません

　　2）　①　バスに　乗(の)りません

　　　　②　駅(えき)まで　歩(ある)きます

問題（もんだい）

1. 1） ＿＿＿＿＿＿＿＿＿＿
   2） ＿＿＿＿＿＿＿＿＿＿
   3） ＿＿＿＿＿＿＿＿＿＿
   4） ＿＿＿＿＿＿＿＿＿＿

2. 1）（　　）　2）（　　）　3）（　　）　4）（　　）　5）（　　）

3. 例（れい）1：　よく　（　聞（き）こえる　）ように、大（おお）きい　声（こえ）で　話（はな）して　ください。
   例（れい）2：　病気（びょうき）に　（　ならない　）ように、食（た）べ物（もの）に　気（き）を　つけて　います。
   1）　50メートル　（　　　　）ように、夏休（なつやす）みは　できるだけ　プールへ　練習（れんしゅう）に　行（い）こうと　思（おも）って　います。
   2）　かぜが　（　　　　）ように、薬（くすり）を　飲（の）んで、ゆっくり　休（やす）みます。
   3）　気分（きぶん）が　悪（わる）く　（　　　　）ように、船（ふね）に　乗（の）る　まえに、薬（くすり）を　飲（の）んで　おきます。
   4）　友達（ともだち）に　会（あ）う　約束（やくそく）を　（　　　　）ように、手帳（てちょう）に　書（か）いて　おきます。

4. 例（れい）1：　（ワープロを　打（う）ちます→　ワープロが　打（う）てる　）ように　なりましたか。
   …はい、打（う）てるように　なりました。
   例（れい）2：　（タンゴを　踊（おど）ります→　タンゴが　踊（おど）れる　）ように　なりましたか。
   …いいえ、まだ　踊（おど）れません。
   1）　（ショパンの　曲（きょく）を　弾（ひ）きます→　　　　）ように　なりましたか。
   …はい、やっと　＿＿＿＿＿＿＿＿。
   2）　（日本語（にほんご）の　新聞（しんぶん）を　読（よ）みます→　　　　）ように　なりましたか。
   …はい、かなり　＿＿＿＿＿＿＿＿。
   3）　（パソコンで　図（ず）を　かきます→　　　　）ように　なりましたか。
   …いいえ、まだ　＿＿＿＿＿＿＿＿。
   4）　（料理（りょうり）を　します→　　　　）ように　なりましたか。
   …ええ。でも、まだ　簡単（かんたん）な　料理（りょうり）しか　＿＿＿＿。

5. 例（れい）：　川（かわ）の　水（みず）が　汚（よご）れましたから、魚（さかな）が　（　いなく　）　なりました。

着られません　~~いません~~　出られません　見えません　読めません

1）　高い　ビルが　できましたから、山が　（　　　　）　なりました。
2）　太りましたから、スーツが　（　　　　）　なりました。
3）　足に　けがを　しましたから、試合に　（　　　　）　なりました。
4）　最近　小さい　字が　（　　　　）　なりました。

6．　例1：　試験の　時間に　絶対に　（　遅れない　）ように　して　ください。
例2：　毎日　朝ごはんを　（　食べる　）ように　して　います。

~~遅れます~~　~~食べます~~　貯金します　歩きます　磨きます　無理をします

1）　食事の　あとで、必ず　歯を　（　　　）ように　して　ください。
2）　病気に　なると、大変ですから、あまり　（　　　）ように　して
ください。
3）　毎月　2万円ずつ　（　　　）ように　して　います。
4）　夜　10時を　過ぎたら、あの　道は　（　　　）ように　して　います。

7．

乗り物の　歴史

昔は　遠い　所へも　歩いて　行きました。　馬や　小さい　船は
使って　いましたが、行ける　所は　少なくて、知って　いる　世界は
狭かったです。
15世紀には、船で　遠くまで　行けるように　なりました。　ヨーロッパの
人は　船で　遠い　国へ　行って、珍しい　物を　持って　帰りました。
19世紀に　汽車と　汽船が　できて、大勢の　人や　たくさんの　物が
運べるように　なりました。　外国へ　行く　人も　多く　なりました。
1903年に　ライト兄弟の　飛行機が　初めて　空を　飛びました。　今は
大きくて、速くて、安全な　飛行機が　世界の　空を　飛んで　います。
次の　夢は　宇宙です。　だれでも　宇宙へ　行けるように
なるでしょうか。　月で　青い　地球を　見ながら　食事できるように
なるかも　しれませんね。

1）　いつごろ　船で　遠くまで　行けるように　なりましたか。…
2）　汽車と　汽船が　できて、どんな　ことが　できるように　なりましたか。
…
3）　いつ　飛行機が　初めて　空を　飛びましたか。…

第 37 課

文　型

1. 子どもの　とき、よく　母に　しかられました。
2. ラッシュの　電車で　足を　踏まれました。
3. 法隆寺は　607年に　建てられました。

例　文

1. けさ　部長に　呼ばれました。
   …何か　あったんですか。
   出張の　レポートの　書き方に　ついて　注意されました。

2. どう　したんですか。
   …だれかに　傘を　まちがえられたんです。

3. また　新しい　星が　発見されましたよ。
   …そうですか。

4. ことしの　世界子ども会議は　どこで　開かれますか。
   …広島で　開かれます。

5. お酒の　原料は　何ですか。
   …米です。
   ビールは？
   …ビールは　麦から　造られます。

6. ドミニカでは　何語が　使われて　いますか。
   …スペイン語が　使われて　います。

7. 先生、飛行機は　だれが　発明したんですか。
   …飛行機は　ライト兄弟に　よって　発明されました。

会話

海を　埋め立てて　造られました

松本　　　：　シュミットさん、関西空港は　初めてですか。

シュミット：　ええ。　ほんとうに　海の　上に　あるんですね。

松本　　　：　ええ。　ここは　海を　埋め立てて　造られた　島なんです。

シュミット：　すごい　技術ですね。
でも、どうして　海の　上に　造ったんですか。

松本　　　：　日本は　土地が　狭いし、それに　海の　上なら、騒音の　問題が　ありませんからね。

シュミット：　それで　24時間　利用できるんですね。

松本　　　：　ええ。

シュミット：　この　ビルも　おもしろい　デザインですね。

松本　　　：　イタリア人の　建築家に　よって　設計されたんです。

シュミット：　アクセスは　便利なんですか。

松本　　　：　大阪駅から　電車で　1時間ぐらいです。
神戸からは　船でも　来られますよ。

37

練習(れんしゅう) A

1.

		受身(うけみ)
I	かきます	かかれます
	ふみます	ふまれます
	よびます	よばれます
	とります	とられます
	いいます	いわれます
	まちます	またれます
	おします	おされます

		受身(うけみ)
II	ほめます	ほめられます
	しらべます	しらべられます
	みます	みられます

		受身(うけみ)
III	きます	こられます
	します	されます

2. わたしは 部長(ぶちょう)に ほめられました。／仕事(しごと)を たのまれました。

3. わたしは だれか／はは に あし／漫画(まんが)の ほん を ふまれました。／すてられました。

4. 大阪(おおさか)で てんらんかい／こくさいかいぎ が ひらかれます。／おこなわれます。

5. この 美術館(びじゅつかん)は 来月(らいげつ)／200年(ねん)まえに こわされます。／たてられました。

6. にほんの くるま／せんたくき は いろいろな 国(くに)へ／この 工場(こうじょう)で ゆしゅつされて／くみたてられて います。

7. 「げんじものがたり」／でんわ は むらさきしきぶ／グラハム・ベル に よって かかれました。／はつめいされました。

37

練習　B

1.　例：　先生は　わたしを　褒めました
　　　　→　わたしは　先生に　褒められました。
　　1）　兄は　わたしを　しかりました　→
　　2）　父は　毎朝　早く　わたしを　起こします　→
　　3）　課長は　わたしを　呼びました　→
　　4）　ミラーさんは　わたしを　パーティーに　招待しました　→

2.　例：　警官は　わたしに　名前と　住所を　聞きました
　　　　→　わたしは　警官に　名前と　住所を　聞かれました。
　　1）　妹は　わたしに　友達を　紹介しました　→
　　2）　母は　時々　わたしに　買い物を　頼みます　→
　　3）　クララさんは　わたしに　歌舞伎に　ついて　質問しました　→
　　4）　父は　わたしに　テレビを　見ては　いけないと　言いました　→

3.　例：　弟が　わたしの　パソコンを　壊しました
　　　　→　わたしは　弟に　パソコンを　壊されました。
　　1）　泥棒が　わたしの　カメラを　とりました　→
　　2）　子どもが　わたしの　服を　汚しました　→
　　3）　電車で　隣の　人が　わたしの　足を　踏みました　→
　　4）　母が　わたしの　漫画の　本を　捨てました　→

4.　例：　→　どう　したんですか。
　　　　　　……足を　踏まれたんです。

　　1）　→　　　2）　→　　　3）　→　　　4）　→

5. 例： フランスで 昔の 日本の 絵を 発見しました
→ フランスで 昔の 日本の 絵が 発見されました。
1） 1789年に 初めて アメリカの 大統領を 選びました →
2） この 町で 国際会議を 開きます →
3） 350年ぐらいまえに 日光の 東照宮を 造りました →
4） 甲子園で 毎年 高校野球の 試合を 行います →

6. 例： いつ この お寺を 建てましたか (江戸時代)
→ この お寺は いつ 建てられましたか。
……江戸時代に 建てられました。
1） どこで 次の 会議を 開きますか (神戸) →
2） いつ 運動会を 行いますか (今度の 日曜日) →
3） いつ この 小説を 書きましたか (500年ぐらいまえ) →
4） どこへ この 車を 輸出しますか (世界中) →
5） 何から ビールを 造りますか (麦) →
6） 昔 何で 日本の 家を 作りましたか (木) →

7. 例： 教会で この 歌を 歌います
→ この 歌は 教会で 歌われて います。
1） 中国や 日本などで 漢字を 使います →
2） イタリアや スペインでも この 魚を 食べます →
3） いろいろな 国の ことばに この 小説を 翻訳します →
4） サウジアラビアなどから 石油を 輸入します →

8. 例： ベルが 電話を 発明しました
→ 電話は ベルに よって 発明されました。
1） ピカソが この 絵を かきました →
2） イギリス人の 科学者が あの 星を 発見しました →
3） イタリア人の 建築家が 関西空港を 設計しました →
4） ライト兄弟が 飛行機を 発明しました →

練習(れんしゅう) C

1\. A： 何(なに)か　いい　ことが　あったんですか。

B： ええ。　鈴木(すずき)さんに　デートに　誘(さそ)われたんです。

A： よかったですね。

1） 誕生日(たんじょうび)の　パーティーに　招待(しょうたい)します

2） 結婚(けっこん)を　申(もう)し込(こ)みます

2\. A： 旅行(りょこう)は　どうでしたか。

B： 楽(たの)しかったけど、大変(たいへん)でした。

A： 何(なに)か　あったんですか。

B： ええ。　①空港(くうこう)で　②荷物(にもつ)を　まちがえられたんです。

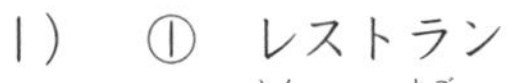

A： それは　大変(たいへん)でしたね。

1） ①　レストラン

②　服(ふく)を　汚(よご)します

2） ①　電車(でんしゃ)の　中(なか)

②　キャッシュカードを　とります

3\. A： この　①お寺(てら)は　いつごろ　②建(た)てられたんですか。

B： 500年(ねん)ぐらいまえに　②建(た)てられました。

A： そうですか。　ずいぶん　古(ふる)いんですね。

1） ①　絵(え)

②　かきます

2） ①　庭(にわ)

②　造(つく)ります

問題

1. 1) ____________________
   2) ____________________
   3) ____________________
   4) ____________________

2. 1) (　　)　2) (　　)　3) (　　)　4) (　　)　5) (　　)

3.

例： 磨きます	磨かれます	6) 褒めます	
1) 踏みます		7) 捨てます	
2) しかります		8) 見ます	
3) 選びます		9) 連れて 来ます	
4) 汚します		10) 輸出します	
5) 飼います		11) 注意します	

4. 例1： 警官は　わたしを　呼びました　→　わたしは　警官に　呼ばれました。
   例2： 泥棒は　わたしの　かばんを　とりました
   　→　わたしは　泥棒に　かばんを　とられました。
   1) 犬は　わたしを　かみました　→ ____________________。
   2) 部長は　わたしに　出張に　ついて　聞きました　→ ____________________。
   3) 先生は　わたしの　名前を　まちがえました　→ ____________________。
   4) 子どもは　わたしの　本を　汚しました　→ ____________________。

5. 例： この　本は　いろいろな　ことばに　翻訳されて　います。

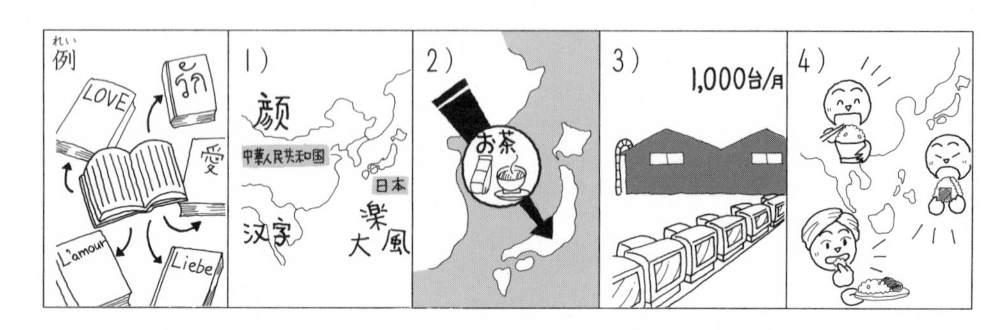

1）　漢字は　中国や　日本で　＿＿＿＿＿＿＿　います。
2）　中国から　お茶が　＿＿＿＿＿＿＿　います。
3）　この　工場で　毎月　テレビが　1,000台　＿＿＿＿＿＿＿　います。
4）　米は　特に　アジアで　＿＿＿＿＿＿＿　います。

6．　例：　父に　漫画の　本（　を　）　捨てられました。

が	によって	を	に	で

1）　わたしは　母（　　　）　ことばの　使い方を　注意されました。
2）　1964年に　東京で　オリンピック（　　　）　開かれました。
3）　この　服は　紙（　　　）　作られて　います。
4）　電話は　ベル（　　　）　発明されました。

7．

日光東照宮の　眠り猫

日光の　東照宮は　17世紀の　初めに　建てられました。　建物が　豪華で　有名ですが、建物の　中にも　有名な　彫刻や　絵が　あります。その　中に　「眠り猫」が　あります。　これは　眠って　いる　猫の　彫刻で、左甚五郎が　彫ったと　言われて　います。　彼は　若い　ときから　彫刻が　とても　上手でしたが、悪い　仲間に　右手を　切られて　しまいました。　しかし、甚五郎は　その　あと　一生懸命　頑張って、左手で　彫れるように　なりました。　それで　「左」甚五郎と　呼ばれました。　東照宮には　ねずみが　1匹も　いません。　甚五郎の　猫が　いるからだと　言われて　います。

1）（　　）日光の　東照宮は　200年まえに　建てられました。
2）（　　）東照宮の　絵の　中に　「眠り猫」が　あります。
3）（　　）東照宮の　「眠り猫」は　左甚五郎に　よって　作られました。
4）（　　）甚五郎は　右手を　切られてから、左手で　上手に　彫刻を　作りましたから、「左」甚五郎と　呼ばれました。

第38課

文型

1. 絵を　かくのは　楽しいです。
2. わたしは　星を　見るのが　好きです。
3. 財布を　持って　来るのを　忘れました。
4. わたしが　日本へ　来たのは　去年の　3月です。

例文

1. 日記を　続けて　いますか。
　…いいえ、3日で　やめて　しまいました。
　　始めるのは　簡単ですが、続けるのは　難しいですね。

2. 花が　たくさん　あって、きれいな　庭ですね。
　…ありがとう　ございます。
　　夫は　花を　育てるのが　上手なんです。

3. 東京は　どうですか。
　…人が　多いですね。　それに　みんな　歩くのが　速いですね。

4. あ、いけない。
　…どう　したんですか。
　車の　窓を　閉めるのを　忘れました。

5. 木村さんに　赤ちゃんが　生まれたのを　知って　いますか。
　…いいえ、知りませんでした。　いつですか。
　1か月ぐらいまえです。

6. 初めて　好きに　なった　人の　ことを　覚えて　いますか。
　…ええ。　彼女に　初めて　会ったのは　小学校の　教室です。
　　彼女は　音楽の　先生でした。

会話

片づけるのが　好きなんです

大学職員：　ワット先生、回覧です。
ワット　　：　あ、すみません。　そこに　置いといて　ください。
大学職員：　先生の　研究室は　いつも　きれいですね。
ワット　　：　わたしは　片づけるのが　好きなんです。
大学職員：　本も　きちんと　並べて　あるし、物も　整理して　置いて
　　　　　　あるし……。　整理するのが　上手なんですね。
ワット　　：　昔　「上手な　整理の　方法」と　いう　本を　書いた
　　　　　　ことが　あるんです。
大学職員：　へえ、すごいですね。
ワット　　：　あまり　売れませんでしたけどね。
　　　　　　よかったら、1冊　持って　来ましょうか。

大学職員：　おはよう　ございます。
ワット　　：　あ、本を　持って　来るのを　忘れました。　すみません。
大学職員：　いいですよ。　でも、回覧に　はんこを　押すのを
　　　　　　忘れないで　ください。　先月も　押して
　　　　　　ありませんでしたよ。

練習 A

1.

一人で　この　荷物を	はこぶ	の	は	無理です。
朝　早く	さんぽする	の		気持ちが　いいです。
ボランティアに	さんかする	の		おもしろいです。

2.

わたしは	クラシック音楽を	きく	の	が	好きです。
	絵を	かく	の		下手です。
		あるく	の		速いです。
		たべる	の		遅いです。

3.

電気を	けす	の	を	忘れました。
薬を	のむ	の		
山田さんに	れんらくする	の		

4.

あした　田中さんが	たいいんする	の	を	知って　いますか。
来週の　金曜日は　授業が	ない	の		
駅前に　大きな　ホテルが	できた	の		

5.

娘が	うまれた	の	は	北海道の　小さな　町	です。
わたしが	ほしい	の		イタリア製の　靴	
いちばん	たいせつな	の		家族の　健康	

練習　B

1.　例：　彼女と　話します・楽しいです
　　　→　彼女と　話すのは　楽しいです。
　1）　ラッシュの　電車で　毎日　通います・大変です　→
　2）　毎日　お酒を　飲みます・体に　悪いです　→
　3）　スポーツの　あとで、シャワーを　浴びます・気持ちが　いいです　→
　4）　電話しながら　運転します・危ないです　→

2.　例：　わたしは　好きです・花を　育てます
　　　→　わたしは　花を　育てるのが　好きです。
　1）　わたしは　好きです・海岸を　散歩します　→
　2）　わたしは　嫌いです・負けます　→
　3）　彼は　上手です・子どもを　褒めます　→
　4）　彼は　下手です・うそを　言います　→
　5）　彼女は　速いです・走ります　→
　6）　彼女は　遅いです・朝　起きます　→

3.　例：　買い物に　行きました・卵を　買いませんでした
　　　→　買い物に　行きましたが、卵を　買うのを　忘れました。
　1）　宿題を　しました・きょう　持って　来ませんでした　→
　2）　友達に　手紙を　出しました・切手を　はりませんでした　→
　3）　住所が　変わりました・彼女に　連絡しませんでした　→
　4）　彼を　コンサートに　誘いました・時間を　言いませんでした　→

4. 例： 鈴木さんが 結婚します
→ 鈴木さんが 結婚するのを 知って いますか。
1） 佐藤さんが 会社を やめます →
2） 小川さんが 入院して います →
3） 2,000年まえの 町が 発見されました →
4） きのうの サッカーの 試合は 日本が ブラジルに 負けました →

5. 例： この 橋が できます・いつ
→ この 橋が できるのは いつですか。
1） その かばんを 買いました・どこ →
2） 講義が 始まります・何時 →
3） 電話を 発明しました・だれ →
4） 玄関の 前に 止めて あります・だれの 車 →
5） あなたの 国の お土産で いちばん 有名です・何→
6） この カメラだけ 値段が 安いです・どうして →

6. 例： わたしは 九州の 小さな 町で 生まれました。
→ わたしが 生まれたのは 九州の 小さな 町です。
1） 父は 3年まえに 亡くなりました。 →
2） 彼女は 「源氏物語」を 研究して います。 →
3） 子どもは あの 中学校に 通って います。 →
4） わたしが 桜の 木の 枝を 折りました。 →
5） 12月は 1年で いちばん 忙しいです。 →
6） この やり方が いちばん 簡単です。 →

練習(れんしゅう) C

1. A： 田中(たなか)さんは ①電車(でんしゃ)では 本(ほん)を 読(よ)まないんですね。

   B： ええ。 わたしは ②外(そと)を 見(み)るのが 好(す)きなんです。

   ②外(そと)を 見(み)るのは ③おもしろいですよ。

   A： そうですね。

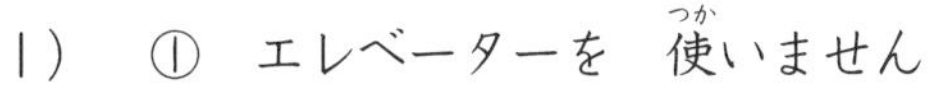

   1） ① エレベーターを 使(つか)いません

   ② 歩(ある)きます

   ③ 体(からだ)に いいです

   2） ① ワープロで 手紙(てがみ)を 書(か)きません

   ② 手(て)で 書(か)きます

   ③ 楽(たの)しいです

2. A： あ、いけない。

   B： どう したんですか。

   A： 机(つくえ)の かぎを 掛(か)けるのを 忘(わす)れました。

   すみませんが、先(さき)に 帰(かえ)って ください。

   B： じゃ、お先(さき)に 失礼(しつれい)します。

   1） 書類(しょるい)を しまいます

   2） コンピューターの 電源(でんげん)を 切(き)ります

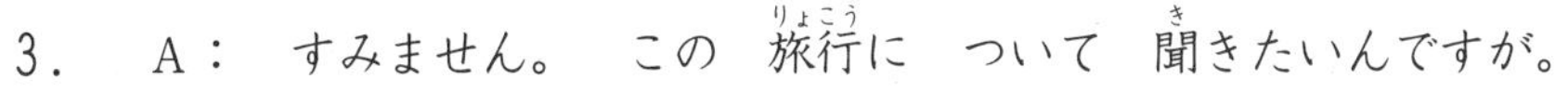

3. A： すみません。 この 旅行(りょこう)に ついて 聞(き)きたいんですが。

   B： はい、どうぞ。

   A： ①旅行(りょこう)に 参加(さんか)するのは ②何人(なんにん)ですか。

   B： ③10人(にん)です。

   A： そうですか。

   1） ① 広島(ひろしま)で 見学(けんがく)します

   ② どこ

   ③ 原爆(げんばく)ドームと 自動車工場(じどうしゃこうじょう)

   2） ① 東京駅(とうきょうえき)に 着(つ)きます

   ② 何時(なんじ)

   ③ 午後(ごご) 5時(じ)23分(ぷん)

問題

1.　1）＿＿＿＿＿＿＿＿＿＿＿＿＿＿＿＿＿＿＿＿＿＿＿＿

　　2）＿＿＿＿＿＿＿＿＿＿＿＿＿＿＿＿＿＿＿＿＿＿＿＿

　　3）＿＿＿＿＿＿＿＿＿＿＿＿＿＿＿＿＿＿＿＿＿＿＿＿

　　4）＿＿＿＿＿＿＿＿＿＿＿＿＿＿＿＿＿＿＿＿＿＿＿＿

　　5）＿＿＿＿＿＿＿＿＿＿＿＿＿＿＿＿＿＿＿＿＿＿＿＿

2.　1）（　　）　2）（　　）　3）（　　）　4）（　　）　5）（　　）

3.　例：「わたしは　暇な　とき　よく　山に　登ります。」

　　→　わたしは　山に　登るのが　好きです。

　1）「この　ケーキ、田中さんが　作ったんですか。おいしいですね。」

　　→　田中さんは　＿＿＿＿＿＿＿＿＿＿のが　上手です。

　2）「これ、山田さんの　レポートですか。名前が　書いて　ありませんよ。」

　　→　山田さんは　レポートに　＿＿＿＿＿＿＿＿のを　忘れました。

　3）「池田さん、これは　古い　電話番号です。パワー電気の　番号は　先月変わりましたよ。」

　　→　池田さんは　＿＿＿＿＿＿＿＿のを　知りませんでした。

　4）「この　箱、重いですね。一人では　持てませんね。」

　　→　一人で　＿＿＿＿＿＿＿＿＿＿＿＿のは　無理です。

4.　例：あなたが　車を　運転して　いたんですか。（妻）

　　…いいえ。運転して　いたのは　妻です。

　1）店は　昼が　いちばん　忙しいんですか。（夕方）

　　…いいえ。＿＿＿＿＿＿＿＿＿＿＿＿＿＿＿＿＿＿。

　2）木村さんは　東京で　生まれたんですか。（九州）

　　…いいえ。＿＿＿＿＿＿＿＿＿＿＿＿＿＿＿＿＿＿。

　3）ほかに　何か　とられましたか。（財布だけ）

　　…いいえ。＿＿＿＿＿＿＿＿＿＿＿＿＿＿＿＿＿＿。

　4）中国語と　韓国語と　タイ語が　話せるんですか。（中国語だけ）

　　…いいえ。＿＿＿＿＿＿＿＿＿＿＿＿＿＿＿＿＿＿。

5. 例： 子ども（ が ） 生まれます。

1） 夜 遅くまで 仕事を するの（　　） 体に よくないです。

2） カメラを 持って 来るの（　　） 忘れました。

3） わたしは サッカーを 見るの（　　） 好きです。

4） わたしが 初めて 日本へ 来たの（　　） 5年まえです。

6. 例： わたしの 趣味は 世界の 切手を 集める （の、（こと））です。

1） 課長に 連絡した（の、こと）は おとといです。

2） 鈴木さんは ベトナム語を 話す （の、こと）が できます。

3） 封筒に 自分の 名前を 書く（の、こと）を 忘れました。

4） わたしは 母に しかられた （の、こと）が ありません。

7.

しずかと あすか

　しずかと あすかは 双子の 姉妹です。 今 小学校5年生です。顔は ほんとうに よく 似て いますが、性格は ずいぶん 違います。

　姉の しずかは おとなしくて、優しい 女の 子です。 本を 読んだり 犬の 世話を したり するのが 好きです。 特に 外国の 小説が 好きで、本を 読んで いると、時間が たつのを 忘れて しまいます。

　妹の あすかは 外で 遊ぶのが 大好きです。 試験は いつも 50点ぐらいですが、走るのは クラスで いちばん 速いです。 それに 男の 子と けんかしても、負けません。

　何か 買う ときも、よく 考えてから、買うのは しずかです。あすかは 欲しいと 思ったら、何でも すぐ 買います。

　同じ 両親から 同じ 日に 生まれて、同じ 家で 生活して いる 2人の 性格が こんなに 違うのは 不思議です。

1）（　　）しずかと あすかは 顔も 性格も 似て います。

2）（　　）しずかは 外国の 小説を 読むのが 好きです。

3）（　　）あすかは おとなしい 女の 子です。

4）（　　）欲しいと 思ったら、すぐ 買うのは あすかです。

第39課

文型

1. ニュースを 聞いて、びっくりしました。
2. 地震で ビルが 倒れました。
3. 体の 調子が 悪いので、病院へ 行きます。

例文

1. お見合いは どうでしたか。
   …写真を 見た ときは、すてきな 人だと 思いましたが、会って、がっかりしました。

2. 今度の 土曜日に みんなで ハイキングに 行くんですが、いっしょに 行きませんか。
   …すみません。 土曜日は ちょっと 都合が 悪くて、行けないんです。

3. あの 映画は どうでしたか。
   …話が 複雑で、よく わかりませんでした。

4. 遅く なって、すみません。
   …どう したんですか。
   事故で バスが 遅れたんです。

5. これから 飲みに 行きませんか。
   …すみません。 用事が あるので、お先に 失礼します。
   そうですか。 お疲れさまでした。

6. 最近 布団で 寝て いるんですが、便利ですね。
   …ベッドは どう したんですか。
   部屋が 狭くて、邪魔なので、友達に あげました。

会話

遅れて、すみません

ミラー　：　課長、遅れて、すみません。
中村課長：　ミラーさん、どう　したんですか。
ミラー　：　実は　来る　途中で　事故が　あって、バスが　遅れて
　　　　　　しまったんです。
中村課長：　バスの　事故ですか。
ミラー　：　いいえ。　交差点で　トラックと　車が　ぶつかって、
　　　　　　バスが　動かなかったんです。
中村課長：　それは　大変でしたね。
　　　　　　連絡が　ないので、みんな　心配して　いたんですよ。
ミラー　：　駅から　電話したかったんですが、人が　たくさん
　　　　　　並んで　いて……。　どうも　すみませんでした。
中村課長：　わかりました。
　　　　　　じゃ、会議を　始めましょう。

練習(れんしゅう) A

1.

手紙(てがみ)を	よんで、	びっくりしました。
電話(でんわ)を	もらって、	安心(あんしん)しました。
家族(かぞく)に	あえなくて、	寂(さび)しいです。
富士山(ふじさん)が	みえなくて、	がっかりしました。

2.

問題(もんだい)が	むずかしくて、	わかりません。
話(はな)し方(かた)が	はやくて、	
説明(せつめい)が	ふくざつで、	

3.

じこ	で 人(ひと)が 大勢(おおぜい) 死(し)にました。
たいふう	
じしん	

4.

病院(びょういん)へ	いく	ので、	5時(じ)に 帰(かえ)っても いいですか。
日本語(にほんご)が	わからない		英語(えいご)で 話(はな)して いただけませんか。
バスが	おくれた		学校(がっこう)に 遅刻(ちこく)しました。
新聞(しんぶん)を	よまなかった		事故(じこ)の ことを 知(し)りませんでした。
毎日(まいにち)	いそがしい		どこも 遊(あそ)びに 行(い)けません。
あしたは	ひまな		買(か)い物(もの)に 行(い)けます。
きょうは	たんじょうびな		ワインを 買(か)いました。

練習　B

1.　例：　母の　手紙を　読みました・安心しました
　　→　母の　手紙を　読んで、安心しました。

1）　地震の　ニュースを　聞きました・びっくりしました　→
2）　旅行中に　財布を　とられました・困りました　→
3）　試験に　合格しました・うれしかったです　→
4）　昔の　映画を　見ました・小学校の　先生を　思い出しました　→

2.　例：　ハイキングに　行けません・残念です
　　→　ハイキングに　行けなくて、残念です。

1）　家族に　会えません・寂しいです　→
2）　息子から　連絡が　ありません・心配です　→
3）　スピーチが　上手に　できませんでした・恥ずかしかったです　→
4）　コンサートの　チケットが　買えませんでした・がっかりしました　→

3.　例：　高いです・車が　買えません　→　高くて、車が　買えません。

1）　難しい　漢字が　多いです・新聞が　読めません　→
2）　質問が　難しかったです・答えられませんでした　→
3）　説明が　複雑です・全然　わかりません　→
4）　試験の　ことが　心配でした・寝られませんでした　→

4.　例：　家が　焼けました　→　火事で　家が　焼けました。

1）　古い　ビルが　倒れました　→
2）　人が　大勢　死にました　→
3）　新幹線が　止まりました　→
4）　旅行に　行けませんでした　→

39

5.　例：　タイに　3年　住んで　いました・タイ語が　少し　話せます
　　→　タイに　3年　住んで　いたので、タイ語が　少し　話せます。
1）電気屋が　エアコンの　修理に　来ます・午後は　うちに　います　→
2）きょうは　道が　あまり　込んで　いません・早く　着くでしょう　→
3）田中さんは　用事が　できました・先に　帰りました　→
4）友達が　約束を　守りませんでした・けんかしました　→

6.　例：　きょうは　妻の　誕生日です・花を　買って　帰ります
　　→　きょうは　妻の　誕生日なので、花を　買って　帰ります。
1）この　辺の　海は　汚いです・泳がない　ほうが　いいです　→
2）電話代が　高いです・手紙を　書くように　して　います　→
3）この　カメラは　操作が　簡単です・だれでも　使えます　→
4）日曜日でした・電車は　すいて　いました　→

7.　例：　気分が　悪いです・早退します
　　→　気分が　悪いので、早退しても　いいですか。
1）ビザを　取りに　行かなければ　なりません・午後から　休みます　→
2）漢字を　調べたいです・この　辞書を　借ります　→
3）この　荷物は　邪魔です・片づけます　→
4）日本語が　あまり　上手じゃ　ありません・英語で　話します　→

8.　例：　雪で　新幹線が　止まりました・会議に　遅れました
　　→　雪で　新幹線が　止まったので、会議に　遅れました。
1）台風で　木が　倒れました・この　道は　通れません　→
2）雨で　野球が　できませんでした・映画を　見に　行きました　→
3）ここは　大学から　近くて、便利です・学生が　大勢　住んで　います　→
4）運動して、汗を　かきました・シャワーを　浴びたいです　→

練習 C

1. A：今晩 ①映画に 行きませんか。
   B：今晩ですか。 ②ちょっと 都合が 悪くて……。
   A：行けませんか。
   B：ええ、すみません。 また、今度 お願いします。

   1) ① カラオケ
      ② 仕事が 忙しいです
   2) ① コンサート
      ② ちょっと 約束が あります

2. A：首相が ①入院したのを 知って いますか。
   B：ええ。 わたしも ②ニュースを 聞いて、びっくりしました。
   A：③胃の 病気で ①入院したと 言って いましたね。
   B：ええ。

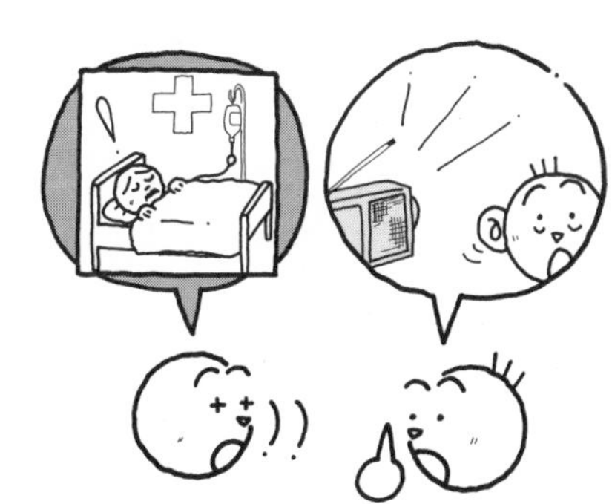

   1) ① やめます
      ② 新聞を 読みました
      ③ 健康の 問題
   2) ① 離婚しました
      ② テレビを 見ました
      ③ お金の 問題

3. A：はい、フロントです。
   B：417号室ですが、①シャワーの お湯が 出ないので、
   ②見に 来て いただけませんか。
   A：417号室ですね。 はい、すぐ 伺います。
   B：お願いします。

   1) ① タオルと せっけんが
         ありません
      ② 持って 来ます
   2) ① エアコンが つきません
      ② 調べます

問題

1. 1）＿＿＿＿＿＿＿＿＿＿
   2）＿＿＿＿＿＿＿＿＿＿

2. 1）（　　）　2）（　　）　3）（　　）　4）（　　）　5）（　　）

3. 例：　手紙を　（　読みました→　読んで　）、安心しました。

~~安心しました~~	悲しいです	がっかりしました
うれしいです	びっくりしました	

1）　子どもが　（　生まれました→　　　　　）、＿＿＿＿＿＿＿＿。
2）　彼女から　手紙が　（　来ません→　　　　　）、＿＿＿＿＿＿＿＿。
3）　地震の　ニュースを　（　聞きました→　　　　　）、＿＿＿＿＿＿＿＿。
4）　スピーチが　上手に　（　できませんでした→　　　　　）、＿＿＿＿。

4. 例：　あした　ハイキングに　行けますか。
　　…いいえ、都合が　（　悪いです→　悪くて　）、行けません。
1）　欲しい　カメラが　買えましたか。
　　…いいえ、（　高かったです→　　　　　）、＿＿＿＿＿＿＿＿。
2）　この　コンピューターの　使い方が　わかりますか。
　　…いいえ、（　複雑です→　　　　　）、よく　＿＿＿＿＿＿＿＿。
3）　毎晩　よく　寝られますか。
　　…いいえ、車の　音が　（　うるさいです→　　　　　）、あまり
　　＿＿＿＿＿＿＿＿＿＿＿＿＿＿。
4）　日曜日の　運動会に　参加できましたか。
　　…いいえ、（　かぜです→　　　　　）、＿＿＿＿＿＿＿＿。

5．例：地震で　うちが　壊れました。

例	1）	2）	3）	4）
			デパート	

1）＿＿＿＿＿＿＿＿＿＿＿＿。2）＿＿＿＿＿＿＿＿＿＿＿＿。

3）＿＿＿＿＿＿＿＿＿＿＿＿。4）＿＿＿＿＿＿＿＿＿＿＿＿。

6．例：まだ　仕事が　（　ある　）ので、先に　食事に　行って　ください。

受けます　　よくないです　　~~あります~~　　便利です　　初めてです

1）社員食堂は　いつも　込んで　いるし、味も　（　　　　　）ので、外の　レストランで　食べて　います。

2）3月に　入学試験を　（　　　　　）ので、冬休みは　遊びに　行けません。

3）車より　電車の　ほうが　（　　　　　）ので、電車で　行きます。

4）日本で　旅行に　行くのは　（　　　　　）ので、楽しみです。

7．

着物

昔、日本人は　大人も　子どもも　みんな　毎日　着物を　着て　生活して　いた。しかし、着物を　着るのは　難しいし、時間も　かかって、大変だ。また　歩く　ときや、仕事を　する　ときも、着物は　不便なので、みんな　洋服を　着るように　なった。洋服は　着るのが　簡単だ。それに　日本人の　生活も　西洋化したので、着物より　洋服の　ほうが　生活に　合う。

今では　着物は　結婚式、葬式、成人式、正月など　特別な　機会だけに　着る　物に　なって　しまった。

1）（　　）仕事の　ときは　洋服より　着物の　ほうが　いい。

2）（　　）着物を　着るのは　簡単だ。

3）（　　）日本人の　生活は　西洋化したので、毎日の　生活では　ほとんど　着物を　着ない。

4）（　　）結婚式や　正月には　着物を　着る　人が　いる。

第40課

文型

1. ＪＬ107便は　何時に　到着するか、調べて　ください。
2. 台風9号は　東京へ　来るか　どうか、まだ　わかりません。
3. 宇宙から　地球を　見て　みたいです。

例文

1. 二次会は　どこへ　行きましたか。
   …酔って　いたので、どこへ　行ったか、全然　覚えて　いないんです。

2. 山の　高さは　どうやって　測るか、知って　いますか。
   …さあ、どうやって　測るんですか。

3. わたしたちが　初めて　会ったのは　いつか、覚えて　いますか。
   …昔の　ことは　もう　忘れて　しまいました。

4. 忘年会に　出席できるか　どうか、20日までに　返事を　ください。
   …はい、わかりました。

5. あそこで　何を　調べるんですか。
   …飛行機に　乗る　人が　ナイフなど　危険な　物を　持って　いないか　どうか、調べるんです。

6. すみません。　この　服を　着て　みても　いいですか。
   …はい、こちらで　どうぞ。

会　話

友達が　できたか　どうか、心配です

クララ　：　先生、ハンスは　学校で　どうでしょうか。
　　　　　　友達が　できたか　どうか、心配なんですが……。

伊藤先生：　大丈夫ですよ。
　　　　　　ハンス君は　クラスで　とても　人気が　あります。

クララ　：　そうですか。　安心しました。
　　　　　　勉強は　どうですか。　漢字が　大変だと　言って　いますが……。

伊藤先生：　毎日　漢字の　テストを　して　いますが、ハンス君は　いい成績ですよ。

クララ　：　そうですか。　ありがとう　ございます。

伊藤先生：　ところで、もうすぐ　運動会ですが、お父さんも　いらっしゃいますか。

クララ　：　ええ。

伊藤先生：　ハンス君が　学校で　どんな　様子か、ぜひ　見て　ください。

クララ　：　わかりました。　これからも　よろしく　お願いします。

練習(れんしゅう) A

1.

会議(かいぎ)は	いつ	おわる	か、	わかりません。
ビールが	なんぼん	ある		数(かぞ)えて　ください。
プレゼントは	なにが	いい		考(かんが)えて　ください。
非常口(ひじょうぐち)は	どこ			調(しら)べます。

2.

クララさんが	くる	か　どうか、	わかりません。
傷(きず)が	ない		調(しら)べて　ください。
荷物(にもつ)が	ついた		確(たし)かめて　ください。
その　話(はなし)は	ほんとう		わかりません。

3.

新(あたら)しい　靴(くつ)を	はいて	みます。
もう　一度(いちど)	かんがえて	
日本語(にほんご)で	せつめいして	

40

練習 B

1．例：　駐車場の　入口は　どこですか・わかりません
　　　→　駐車場の　入口は　どこか、わかりません。
　1）　先生は　何と　言いましたか・覚えて　いません　→
　2）　ゴッホの　絵は　いくらで　売れましたか・知って　いますか　→
　3）　ミーティングは　いつが　いいですか・考えて　ください　→
　4）　この　紙は　どちらが　表ですか・わかりません　→

2．例：　何を　相談して　いるんですか。（夏休みに　どこへ　行きますか）
　　　→　夏休みに　どこへ　行くか、相談して　いるんです。
　1）　何を　数えて　いるんですか。
　　　（日本語の　本が　何冊　ありますか）　→
　2）　何を　話して　いるんですか。
　　　（誕生日の　プレゼントは　何が　いいですか）　→
　3）　何を　研究して　いるんですか。
　　　（どう　したら、おいしい　水が　作れますか）　→
　4）　何を　調べて　いるんですか。
　　　（のぞみ26号は　何時に　出発しますか）　→

3．例：　8時までに　来られますか・ミラーさんに　聞きます
　　　→　8時までに　来られるか　どうか、ミラーさんに　聞いて
　　　　ください。
　1）　荷物が　届きましたか・確かめます　→
　2）　まちがいが　ありませんか・もう　一度　見ます　→
　3）　カードを　申し込む　とき、はんこが　必要ですか・教えます　→
　4）　荷物の　重さが　20キロ以下ですか・量ります　→

4．　例：　ミラーさんは　新年会に　来ますか。
（忙しいと　言って　いました）
→　さあ、来るか　どうか、わかりません。
忙しいと　言って　いましたから。

1）　10時に　間に　合いますか。
（道が　込んで　います）　→
2）　あの　店は　おいしいですか。
（わたしは　入った　ことが　ありません）　→
3）　小川さんは　元気ですか。
（最近　会って　いません）　→
4）　その　ネクタイは　イタリア製ですか。
（もらった　ネクタイです）　→

40

5．　例：　→　すみません。　この　ズボンを　はいて　みても　いいですか。
1）　→　　2）　→　　3）　→　　4）　→

6．　例：　サイズが　合いますか・着ます
→　サイズが　合うか　どうか、着て　みて　ください。

1）　もう　少し　大きいのが　ありますか・探します　→
2）　彼は　もう　うちを　出ましたか・電話します　→
3）　あしたは　都合が　いいですか・ミラーさんに　聞きます　→
4）　その　話は　ほんとうですか・もう　一度　確かめます　→

練習　C

1.　A：　ミラーさんは？
　　B：　出かけましたよ。
　　A：　どこへ　行ったか、わかりますか。
　　B：　さあ。　鈴木さんに　聞けば、
　　　　わかると　思います。

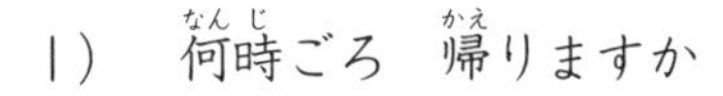

　　　1）　何時ごろ　帰りますか
　　　2）　ミラーさんの　レポートは　どこに　ありますか

2.　A：　スピーチコンテストに　出るか　どうか、決めましたか。
　　B：　いいえ、まだ　決めて　いません。
　　A：　早く　決めないと……。
　　　　申し込みは　あさってまでですよ。
　　B：　はい、わかりました。

　　　1）　社員旅行に　行きますか
　　　2）　マラソン大会に　参加しますか

3.　A：　①北海道の　雪祭りに　行った　ことが　ありますか。
　　B：　いいえ。
　　A：　とても　②楽しいですよ。
　　B：　そうですか。
　　　　ぜひ　一度　①行って　みたいです。

　　　1）　①　日光の　東照宮を　見ます
　　　　　②　きれいです
　　　2）　①　温泉に　行きます
　　　　　②　気持ちが　いいです

問題

1.　1）＿＿＿＿＿＿＿＿＿＿
　　2）＿＿＿＿＿＿＿＿＿＿
　　3）＿＿＿＿＿＿＿＿＿＿
　　4）＿＿＿＿＿＿＿＿＿＿

2.　1）（　　）　2）（　　）　3）（　　）　4）（　　）　5）（　　）

3.　例：　会議は　何時に　始まりますか。
　　　　…さあ、何時に　（　始まるか　）、わかりません。

　1）　パーティーで　だれに　会いましたか。
　　　…たくさんの　人に　会ったので、だれに　（　　　　）、覚えて　いないんです。

　2）　空港へ　迎えに　行きますから、飛行機が　何時に　（　　　　）、知らせて　ください。

　3）　どう　したら、英語が　上手に　（　　　　）、教えて　ください。

　4）　毎日　赤ちゃんが　何人　（　　　　）、知って　いますか。

4.　例：　結婚する　まえに、意見が　（　合うか　どうか　）、よく　話した　ほうが　いいです。

必要です　　~~合います~~　　ありません　　健康です　　おいしいです

　1）　わたしは　1年に　1回　必ず　（　　　　）、診て　もらいます。

　2）　1か月ほど　中国を　旅行したいんですが、ビザが　（　　　　）、調べて　ください。

　3）　あの　レストランは　入った　ことが　ないので、（　　　　）、わかりません。

　4）　家具を　買う　ときは、傷が　（　　　　）、確かめてから、買った　ほうが　いいです。

5.　例：　先月の　電話代が　いくら　（（かかったか）、かかったか　どうか）、教えて　ください。

1） 飛行機の　重さは　どうやって　（量るか、量るか　どうか）、知って　いますか。

2） 宇宙へ　行った　犬が　（元気か、元気か　どうか）、心配です。

3） 電車を　降りる　とき、忘れ物が　（あるか　どうか、ないか　どうか）、必ず　確かめます。

4） 飛行機に　乗る　まえに、ナイフなどを　（持って　いるか　どうか、持って　いないか　どうか）、調べられます。

6． 例：　すみません。この　ズボンを　（　はいて　みて　）も　いいですか。

~~はきます~~	着ます	入れます	行きます	食べます

1） いつか　宇宙旅行に　（　　　　　　）たいです。

2） わたしが　作った　ケーキです。（　　　　　　）　ください。

3） セーターは、買う　まえに、（　　　　　　）　ことが　できません。

4） おふろの　お湯が　熱くないか　どうか、手を　（　　　　　　）ます。

7．

3億円事件

1968年12月10日　午前　9時20分、銀行の　車が　お金を　運んで　いました。　その　とき　うしろから　警官が　白い　オートバイに　乗って、走って　来ました。　警官は　車を　止めました。　そして　車に　爆弾が　積まれて　いるかも　しれないと　言いました。　運転手と　銀行員は　急いで　降りて、離れた　所に　逃げました。

警官は　その　車に　乗って、中を　調べました。　が、急に　車を　動かして　行って　しまいました。　車には　3億円　積まれて　いました。　警察は　一生懸命　犯人を　捜しましたが、見つかりませんでした。

日本中の　人が、犯人は　どんな　男か、3億円を　どう　使うか、どうやって　警官の　服と　オートバイを　手に　入れたか、話しました。　今でも　時々　犯人は　どう　して　いるか、うわさします。

1）（　　）白い　オートバイの　警官は　ほんとうは　犯人です。

2）（　　）銀行の　車に　爆弾が　積んで　ありました。

3）（　　）犯人は　3億円　とりました。

4）（　　）犯人は　だれか　今でも　わかりません。

復習　H

1.　例：　ワープロ（　が　）　打てるように　なりました。

1）　卒業は　来年の　6月（　　）　予定です。
2）　運動会で　足（　　）　けが（　　）　しました。
3）　あの　漢字は　「故障」（　　）　読みます。
4）　この　マークは　水で　洗える（　　）　いう　意味です。
5）　鈴木さんは　今　席（　　）　外して　います。
6）　説明書（　　）　とおりに、テーブルを　組み立てます。
7）　忘年会（　　）　あとで、二次会に　行って、帰ったのは　12時でした。
8）　夜　11時（　　）　過ぎたら、電話を　かけないように　して　ください。
9）　試合（　　）　出られるように、毎日　練習して　います。
10）　わたしは　母（　　）　漫画の　本（　　）　捨てられました。
11）　大阪（　　）　国際会議（　　）　開かれます。
12）　日本の　お酒（　　）　米（　　）　造られます。
13）　あの　教会（　　）　木（　　）　造られて　います。
14）　飛行機は　ライト兄弟（　　）　発明されました。
15）　この　小説は　いろいろな　国の　ことば（　　）　翻訳されて　います。
16）　石油は　サウジアラビアなど（　　）　輸入されて　います。
17）　東京の　人は　歩くの（　　）　速いです。
18）　林さん（　　）　赤ちゃんが　生まれたの（　　）　知って　いますか。
19）　運動して　汗（　　）　かいたので、シャワーを　浴びたいです。
20）　火事（　　）　家が　焼けました。

2.　例：　毎日　（　運動します→　運動した　）　ほうが　いいです。

1）　早く　（　届きます→　　　　）ように、速達で　出します。
2）　家族が　（　心配します→　　　　）ように、電話します。
3）　飼って　いる　猫が　（　います→　　　　）　なったので、捜して　います。
4）　毎日　1時間　（　歩きます→　　　　）ように　して　います。
5）　要らない　物は　絶対に　（　買います→　　　　）ように　して　います。
6）　絵を　（　かきます→　　　　）のは　おもしろいです。
7）　手紙に　切手を　（　はります→　　　　）のを　忘れました。
8）　きのう　近くで　事故が　（　あります→　　　　）のを　知って　いますか。

9） 母の 手紙を （ 読みます→ ）、安心しました。
10） 電気屋が テレビの 修理に （ 来ます→ ）ので、午後は うちに います。
11） どこで 財布を （ なくします→ ）か、覚えて いません。
12） サイズが （ 合います→ ）か どうか、（ 着ます → ） みます。

3． 例： まっすぐ （ 行くと 、 行く とき ）、交差点が あります。
1） 電気が 消えて （ います、 あります ）。
2） ドアを （ 開いて、 開けて ） おいて ください。
3） わたしは 夏休みに アメリカへ （ 行く、 行こう ）と 思って います。
4） 歌舞伎に ついて 知りたいんですが、どんな 本を （ 読めば、 読んだ ほうが ） いいですか。
5） あそこに （ 「禁煙」が、 「禁煙」と ） 書いて あります。
6） 気分が （悪くて、 悪いので ）、早退しても いいですか。

4． 例： この 辞書は 田中さんが くれました。
→ この 辞書は 田中さんに もらいました。
1） わたしは 自分で 着物を 着る ことが できません。
→ わたしは 自分で 着物が ＿＿＿＿＿＿＿＿。
2） もらった ワインは 全部 飲みました。
→ もらった ワインは 飲んで ＿＿＿＿＿＿＿＿。
3） 値段が 安いです。味が いいです。ですから、いつも この 店で 食べて います。
→ ＿＿＿＿＿＿＿＿＿＿＿＿＿＿し、
いつも この 店で 食べて います。
4） 弟が わたしの パソコンを 壊しました。
→ わたしは 弟に ＿＿＿＿＿＿＿＿。
5） ベルが 電話を 発明しました。
→ 電話は ＿＿＿＿＿＿＿＿。
6） 父は 3年まえに 亡くなりました。
→ ＿＿＿＿＿＿＿＿のは 3年まえです。

H

第41課

文型

1. わたしは　ワット先生に　本を　いただきました。
2. わたしは　課長に　手紙の　まちがいを　直して　いただきました。
3. 部長の　奥さんは　わたしに　お茶を　教えて　くださいました。
4. わたしは　息子に　紙飛行機を　作って　やりました。

例文

1. きれいな　お皿ですね。
…ええ。　結婚の　お祝いに　田中さんが　くださいました。

2. お母さん、あの　猿に　お菓子を　やっても　いい？
…いいえ。　あそこに　えさを　やっては　いけないと　書いて　ありますよ。

3. 相撲を　見に　行った　ことが　ありますか。
…ええ。　この間　部長に　連れて　行って　いただきました。　とても　おもしろかったです。

4. タワポンさん、夏休みの　ホームステイは　どうでしたか。
…楽しかったです。　家族の　皆さんが　とても　親切に　して　くださいました。

5. お子さんの　誕生日には　どんな　ことを　して　あげますか。
…友達を　呼んで、パーティーを　して　やります。

6. 新しい　コピー機の　使い方が　よく　わからないんですが、　ちょっと　教えて　くださいませんか。
…いいですよ。

会話(かいわ)

荷物(にもつ)を　預(あず)かって　いただけませんか

ミラー　：　小川(おがわ)さん、ちょっと　お願(ねが)いが　あるんですが……。
小川幸子(おがわさちこ)：　何(なん)ですか。
ミラー　：　実(じつ)は　きょうの　夕方(ゆうがた)　デパートから　荷物(にもつ)が　届(とど)く予定(よてい)なんですが、出(で)かけなければ　ならない　用事(ようじ)ができて　しまったんです。
小川幸子(おがわさちこ)：　はあ。
ミラー　：　それで　申(もう)し訳(わけ)　ありませんが、預(あず)かって　おいていただけませんか。
小川幸子(おがわさちこ)：　ええ、いいですよ。
ミラー　：　すみません。　帰(かえ)ったら、すぐ　取(と)りに　来(き)ます。
小川幸子(おがわさちこ)：　わかりました。
ミラー　：　よろしく　お願(ねが)いします。

ミラー　：　あっ、小川(おがわ)さん。　先日(せんじつ)は　荷物(にもつ)を　預(あず)かって　くださって、ありがとう　ございました。
小川幸子(おがわさちこ)：　いいえ。
ミラー　：　ほんとうに　助(たす)かりました。

練習(れんしゅう) A

1\.

わたしは	しゃちょう	に	お土産(みやげ)を　いただきました。
	せんせい		
	やまださん		

2\.

しゃちょう	は　わたしに　お土産(みやげ)を　くださいました。
せんせい	
やまださん	

3\.

わたしは	むすこ	に	お菓子(かし)を　やりました。
	いもうと		
	いぬ		

4\.

わたしは　先生(せんせい)に	京都(きょうと)へ	つれて　いって	いただきました。
	日本語(にほんご)を	おしえて	
	大学(だいがく)を	あんないして	

5\.

部長(ぶちょう)は	わたしに　旅行(りょこう)の　写真(しゃしん)を	みせて	くださいました。
	わたしを　駅(えき)まで	おくって	
	わたしの　レポートを	なおして	

6\.

わたしは	娘(むすめ)に　英語(えいご)を	おしえて	やりました。
	娘(むすめ)を　学校(がっこう)まで	むかえに　いって	
	娘(むすめ)の　宿題(しゅくだい)を	みて	

7\.

ひらがなで	かいて	くださいませんか。
もう　少(すこ)し　ゆっくり	はなして	
ビデオの　使(つか)い方(かた)を	せつめいして	

練習　B

1. 例1：　すてきな　セーター（兄）　→　すてきな　セーターですね。
……ええ。　兄に　もらったんです。

例2：　きれいな　絵はがき（先生）
→　きれいな　絵はがきですね。……ええ。　先生に　いただいたんです。

1）　珍しい　切手（課長）　→　　　2）　かわいい　手袋（おば）　→
3）　いい　辞書（先生）　→　　　4）　きれいな　指輪（祖母）　→

2. 例1：　きれいな　ハンカチ（友達）　→　きれいな　ハンカチですね。
……ええ。　友達が　くれたんです。

例2：　いい　手帳（先生）　→　いい　手帳ですね。
……ええ。　先生が　くださったんです。

1）　珍しい　果物（中村課長）　→
2）　おもしろい　バッグ（祖父）　→
3）　きれいな　靴下（姉）　→
4）　おいしい　お菓子（社長）　→

3. 例：　→　犬に　えさを　やります。
1）　→　　　2）　→　　　3）　→　　　4）　→

4. 例：　小林先生・日本語を　教えました
→　わたしは　小林先生に　日本語を　教えて　いただきました。

1）　課長・ビデオカメラを　貸しました　→
2）　先生・日本語の　辞書を　選びました　→
3）　部長の　奥さん・生け花を　見せました　→
4）　先生・文法を　説明しました　→

5．　例：　部長が　会議の　資料を　送りました
→　部長が　会議の　資料を　送って　くださいました。
1）　田中さんが　お見舞いに　来ました　→
2）　課長が　日本料理の　レストランを　予約しました　→
3）　社長の　奥さんが　おいしい　てんぷらを　作りました　→
4）　あした　小林先生が　空港まで　送ります　→

6．　例：　犬を　散歩に　連れて　行きました
→　わたしは　犬を　散歩に　連れて　行って　やりました。
1）　息子に　絵本を　読みました　→
2）　孫に　お菓子を　送りました　→
3）　娘に　おもちゃを　買いました　→
4）　妹の　服を　洗濯しました　→

7．　例：　いつ　ワット先生に　英語を　教えて　もらいましたか。(おととし)
→　おととし　教えて　いただきました。
1）　だれが　ここへ　連れて　来て　くれましたか。(中村課長)　→
2）　先生に　どこを　案内して　もらいましたか。(奈良)　→
3）　だれに　発音を　直して　もらいましたか。(先生)　→
4）　お子さんが　小学校に　入る　とき、何を　して　あげますか。
(新しい　服を　買います)　→

8．　例：　駅へ　行きたいです・道を　教えます
→　駅へ　行きたいんですが、道を　教えて　くださいませんか。
1）　よく　聞こえませんでした・もう　一度　言います　→
2）　コピー機が　動きません・ちょっと　見ます　→
3）　セーターの　サイズを　まちがえました・取り替えます　→
4）　コンピューターに　興味が　あります・いい　本を　教えます　→

練習　C

1.　A：　初めて　日本へ　来た　とき、大変だったでしょう？
　　B：　ええ。　でも、ボランティアの　方が
　　　　親切に　して　くださいました。
　　A：　そうですか。
　　B：　日本語や　日本料理の　作り方を
　　　　教えて　くださいました。
　　A：　それは　よかったですね。

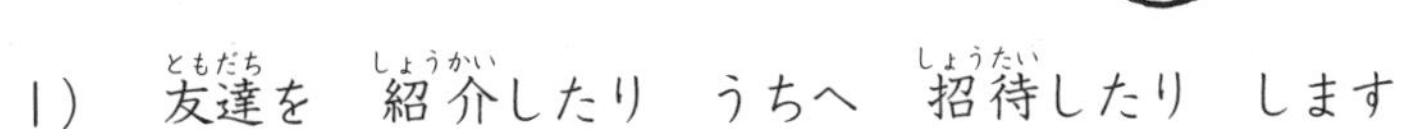

　　1）　友達を　紹介したり　うちへ　招待したり　します
　　2）　この　町の　いろいろな　情報を　教えます

2.　A：　①きれいな　猫ですね。
　　B：　ええ。　でも　大変なんですよ。
　　　　毎日　②ごはんを　作って　やらなければ　なりませんから。
　　A：　そうですか。

　　1）　①　珍しい　鳥
　　　　②　水を　換えて、掃除します
　　2）　①　かわいい　犬
　　　　②　散歩に　連れて　行きます

3.　A：　管理人さん、すみません。
　　B：　はい、何ですか。
　　A：　①タクシーを　呼びたいんですが、
　　　　②タクシー会社の　電話番号を
　　　　教えて　くださいませんか。
　　B：　ええ、いいですよ。

　　1）　①　棚を　組み立てたいです
　　　　②　ドライバーを　貸します
　　2）　①　エレベーターの　ドアが　閉まりません
　　　　②　ちょっと　見ます

問題(もんだい)

1.　1）＿＿＿＿＿＿＿＿＿＿＿＿＿＿＿＿＿＿＿＿
　　2）＿＿＿＿＿＿＿＿＿＿＿＿＿＿＿＿＿＿＿＿
　　3）＿＿＿＿＿＿＿＿＿＿＿＿＿＿＿＿＿＿＿＿
　　4）＿＿＿＿＿＿＿＿＿＿＿＿＿＿＿＿＿＿＿＿
　　5）＿＿＿＿＿＿＿＿＿＿＿＿＿＿＿＿＿＿＿＿

2.　1）（　　）　2）（　　）　3）（　　）　4）（　　）　5）（　　）

3.　例(れい)：　母(はは)の　誕生日(たんじょうび)に　わたしは　母(はは)に　花(はな)を　（くれました、（あげました））。
　　1）　わたしは　松本(まつもと)さんに　お祝(いわ)いを　（いただきました、くださいました）。
　　2）　花(はな)に　水(みず)を　（やる、くれる）のを　忘(わす)れました。
　　3）　自転車(じてんしゃ)が　壊(こわ)れたので、兄(あに)に　修理(しゅうり)して　（くれました、もらいました）。
　　4）　祖父(そふ)は　わたしたちに　昔(むかし)の　話(はなし)を　して　（あげました、くれました）。
　　5）　課長(かちょう)は　わたしを　迎(むか)えに　来(き)て　（くださいました、いただきました）。

4.　例(れい)：　冷蔵庫(れいぞうこ)の　故障(こしょう)は　直(なお)りましたか。
　　　　…ええ。電気屋(でんきや)が　すぐ　見(み)に　来(き)て　くれました。
　　1）　その　本(ほん)、図書館(としょかん)で　借(か)りたんですか。
　　　　…いいえ。課長(かちょう)が　＿＿＿＿＿＿んです。
　　2）　ゆうべは　タクシーで　帰(かえ)ったんですか。
　　　　…いいえ、部長(ぶちょう)に　車(くるま)で　＿＿＿＿＿＿。
　　3）　おいしい　ケーキですね。
　　　　…ありがとう　ございます。祖母(そぼ)が　作(つく)り方(かた)を　＿＿＿＿＿＿んです。
　　4）　もう　箱根(はこね)へは　行(い)きましたか。
　　　　…ええ。先週(せんしゅう)　先生(せんせい)が　＿＿＿＿＿＿。

5.　例(れい)：　サイズが　合(あ)わないんですが、取(と)り替(か)えて　くださいませんか。

見(み)ます　説明(せつめい)します　~~取(と)り替(か)えます~~　かきます　手伝(てつだ)います

1） レポートを 書いたんですが、ちょっと ＿＿＿＿＿＿＿＿＿＿＿＿＿。

2） 荷物を 運ばなければ ならないんですが、＿＿＿＿＿＿＿＿＿＿＿＿＿。

3） 日本語が よく わからないんですが、英語で ＿＿＿＿＿＿＿＿＿＿＿＿＿。

4） 大使館へ 行きたいんですが、地図を ＿＿＿＿＿＿＿＿＿＿＿＿＿。

6．例： わたしは 友達（に） 本を 貸して もらいました。

1） 珍しい 指輪ですね。…ええ。誕生日に 姉（　　） くれたんです。

2） 息子さんは 本が 好きですね。
…ええ。小さい とき、よく 息子（　　） 本を 読んで やりました。

3） どうして 遅かったんですか。
…知らない おばあさん（　　） 駅まで 連れて 行って あげたんです。

4） 娘さんは いつも 一人で 宿題を しますか。
…いいえ。時々 わたし（　　） 娘の 宿題（　　） 見て やります。

7．

浦島 太郎＜日本の 昔話＞

昔、ある 所に 浦島太郎と いう 若い 男が いました。 ある 日 太郎は 子どもたちに いじめられて いる かめを 助けて やりました。 かめは 「助けて いただいて、ありがとう ございました」と 言って、太郎を 海の 中の お城へ 連れて 行って くれました。

そこには とても きれいで、優しい お姫様が いました。 太郎は 毎日 楽しく 暮らして いましたが、うちへ 帰りたく なりました。 帰る とき、お姫様は お土産に 箱を くれました。 でも、絶対に 箱を 開けては いけないと 言いました。

太郎は 陸へ 帰りましたが、どこにも うちは ありませんでした。 道で 会った 人が 300年ぐらいまえに 浦島太郎の うちが あったと 教えて くれました。 太郎は 悲しく なって、お土産の 箱を 開けました。 すると、中から 白い 煙が 出て、太郎は 髪が 真っ白な おじいさんに なりました。

1） 太郎は どうして かめを 助けて やりましたか。…

2） 太郎は かめと いっしょに どこへ 行きましたか。…

3） 太郎は どのくらい 海の 中に いましたか。…

4） お土産の 箱の 中身は 白い 煙でした。
白い 煙は 何だと 思いますか。…

41

第42課

文型

1. 将来 自分の 店を 持つ ために、貯金して います。
2. この はさみは 花を 切るのに 使います。

例文

1. この 夏 盆踊りに 参加する ために、毎日 練習して います。
   …そうですか。 楽しみですね。

2. どうして 一人で 山に 登るんですか。
   …一人に なって 考える ために、山に 行くんです。

3. 健康の ために、何か して いますか。
   …いいえ。 でも、来週から 毎朝 走ろうと 思って います。

4. きれいな 曲ですね。
   …「エリーゼの ために」ですよ。 ベートーベンが ある 女の 人の ために、作った 曲です。

5. これは 何に 使うんですか。
   …ワインを 開けるのに 使います。

6. 日本では 結婚式を するのに どのくらい お金が 必要ですか。
   …200万円は 要ると 思います。
   えっ、200万円も 要るんですか。

7. その バッグは 入れる 所が たくさん ありますね。
   …ええ。 財布や 書類や ハンカチが 別々に しまえるので、旅行や 仕事に 便利なんです。

会話

ボーナスは　何に　使いますか

鈴木：　林さん、ボーナスは　いつ　出るんですか。
林　：　来週です。　鈴木さんの　会社は？
鈴木：　あしたです。　楽しみですね。
　　　　まず　車の　ローンを　払って、ゴルフセットを　買って、
　　　　それから　旅行に　行って……。
小川：　貯金は　しないんですか。
鈴木：　貯金ですか。　僕は　あまり　考えた　こと、ありませんね。
林　：　わたしは　ロンドンへ　旅行に　行ったら、あとは　貯金します。
鈴木：　結婚の　ために、貯金するんですか。
林　：　いいえ。　いつか　イギリスへ　留学しようと　思って
　　　　いるんです。
小川：　へえ、独身の　人は　いいですね。　全部　自分の　ために、
　　　　使えて。　わたしは　うちの　ローンを　払って、子どもの
　　　　教育の　ために、貯金したら、ほとんど　残りませんよ。

練習 A

1. | | | | |
|---|---|---|---|
| 大学に | はいる | ために、 | 一生懸命 勉強します。 |
| 会議に | でる | | 大阪へ 出張します。 |
| | あんぜんの | | シートベルトを します。 |
| | かぞくの | | おいしい 料理を 作ります。 |

2. | | | | | |
|---|---|---|---|---|
| この 辞書は 漢字の 意味を | しらべる | の | に | 役に 立ちます。 |
| この ファイルは 書類を | せいりする | の | | 使います。 |
| この 公園は 緑が 多くて、 | さんぽ | | | いいです。 |
| この かばんは 軽くて、 | りょこう | | | 便利です。 |

3. パーティーの 準備に | 10にん / みっか / 20まんえん | は 必要です。

パーティーの 準備に	10にん	は 必要です。
	みっか	
	20まんえん	

4. | | | |
|---|---|---|
| ビデオを 修理するのに | 3しゅうかん | も かかりました。 |
| | 1かげつ | |
| | 17,000えん | |

42

練習 B

1. 例： 論文を 書きます・資料を 集めて います
　　→ 論文を 書く ために、資料を 集めて います。
  1） いつか 自分の 店を 持ちます・一生懸命 働いて います →
  2） 友達の 結婚式に 出ます・休みを 取りました →
  3） 弁護士に なります・法律を 勉強する つもりです →
  4） 大学院に 入ります・会社を やめようと 思って います →

2. 例： 引っ越し・車を 借ります → 引っ越しの ために、車を 借ります。
  1） 仕事・毎週 日本語を 習って います →
  2） 国際問題の 研究・アメリカへ 留学します →
  3） 日本語の 勉強・電子辞書を 買う つもりです →
  4） 子どもの 教育・たくさん 貯金しなければ なりません →

3. 例： 家族・大きい うちを 建てました
　　→ 家族の ために、大きい うちを 建てました。
  1） 子どもたち・絵本を かいて います →
  2） 国・一生懸命 働きたいです →
  3） 結婚する 二人・みんなで お祝いを しましょう →
  4） 外国人・駅の 名前は ローマ字でも 書いて あります →

4. 例： どうして 人が 大勢 並んで いるんですか。
　　（コンサートの チケットを 買います） →
　　コンサートの チケットを 買う ために、並んで いるんです。
  1） なぜ 日本の 歴史を 研究して いるんですか。
　　（日本と アジアの 関係を 知ります） →
  2） 何の ために お金を 集めて いるんですか。
　　（新しい 学校を 作ります） →
  3） 将来 どんな 仕事を したいですか。
　　（世界の 平和・国連の 仕事） →
  4） この 歌は だれが 作りましたか。
　　（戦争で 死んだ 人・ポーランドの 音楽家） →

5．　例：　材料を　混ぜます

　　→　これは　ミキサーです。　材料を　混ぜるのに　使います。

1）　お湯を　沸かします　→

2）　熱を　測ります　→

3）　物を　包みます　→

4）　計算します　→

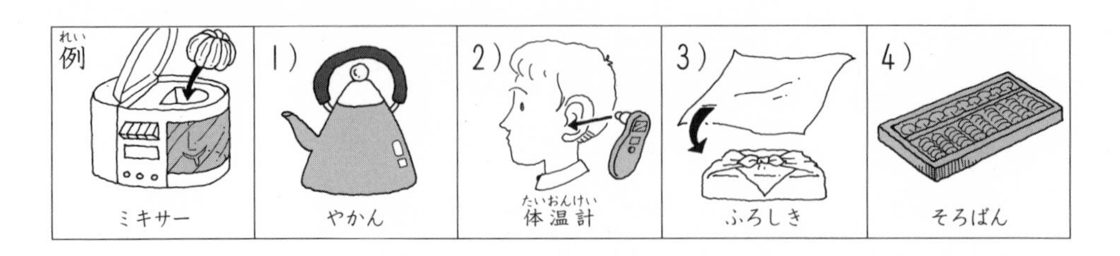

6．　例1：　ここは　駅から　遠いですね。（会社に　通います・不便です）

　　→　ええ。　会社に　通うのに　不便です。

例2：　大きい　スーパーが　できましたね。（買い物・便利です）

　　→　ええ。　買い物に　便利です。

1）　ここは　緑が　多くて、静かですね。
　　（子どもを　育てます・いいです）　→

2）　ずいぶん　厚い　辞書ですね。
　　（ことばの　使い方を　知ります・役に　立ちます）　→

3）　かわいい　人形ですね。（お土産・ちょうど　いいです）　→

4）　この　コートは　薄くて、軽いですね。（旅行・便利です）　→

7．　例：　この　車を　修理します・2週間　かかります

　　→　この　車を　修理するのに、2週間は　かかります。

　　……2週間も　かかるんですか。

1）　うちを　建てます・4,000万円　必要です　→

2）　漢字を　2,000　覚えます・3年　かかります　→

3）　東京で　一人で　生活します・月に　20万円　要ります　→

4）　いちばん　大きい　ピラミッドを　造ります・石が　270万個
　　使われました　→

練習　C

1.　A：　日本へ　来た　目的は　何ですか。

　　B：　大学で　経済を　勉強するために、来ました。

　　A：　そうですか。　頑張って　ください。

　　　1）　漫画文化を　研究します

　　　2）　日本の　社会に　ついて
　　　　　論文を　書きます

2.　A：　あのう、①缶詰を　開けるのに　使う　物が　欲しいんですが……。

　　B：　ああ、②缶切りですね。　あの　棚に　ありますよ。

　　A：　どうも。

　　　1）　①　瓶の　ふたを　開けます
　　　　　②　栓抜き

　　　2）　①　お湯を　沸かします
　　　　　②　やかん

3.　A：　この間　①パソコンを　買ったんです。

　　B：　わたしも　買いたいと　思って　いるんですが、どうですか。

　　A：　②データの　整理に　とても　③便利ですよ。

　　B：　それは　いいですね。　わたしも　一度　見に　行きます。

　　　1）　①　電子辞書
　　　　　②　日本語の　勉強
　　　　　③　役に　立ちます

　　　2）　①　小さい　ビデオカメラ
　　　　　②　旅行や　パーティー
　　　　　③　便利です

問題

1\. 1) ______________________

2) ______________________

3) ______________________

4) ______________________

5) ______________________

2\. 1)（　）　2)（　）　3)（　）　4)（　）　5)（　）

3\. 例1：うちを　（建てる）　ために、貯金して　います。

例2：（健康の）　ために、毎晩　早く　寝るように　して　います。

~~健康~~	平和	家族	~~建てます~~	なります	覚えます

1) 漢字を　（　　　）　ために、本を　たくさん　読みます。

2) 音楽家に　（　　　）　ために、ドイツへ　留学します。

3) 世界の　（　　　）　ために、いろいろな　会議が　行われて　います。

4) 父は　（　　　）　ために、40年も　働きました。

4\. 例：瓶の　ふたを　開けます

→　栓抜きは　瓶の　ふたを　開けるのに　使います。

例	1)	2)	3)	4)
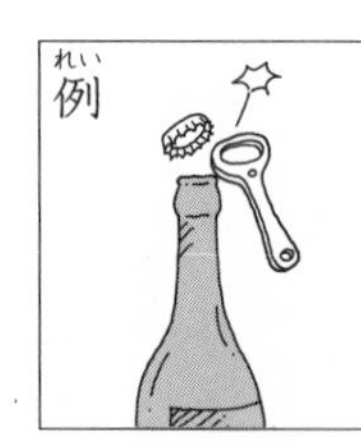		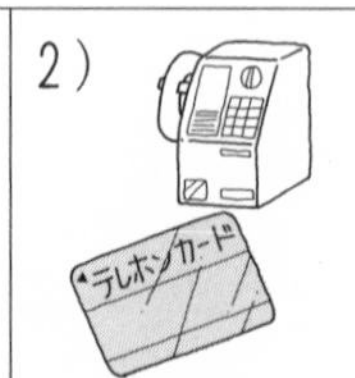		

1) 電車の　時間を　調べます　→

2) 電話を　かけます　→

3) 資料を　入れます　→

4) お湯を　沸かします　→

5\. 例：パソコンは　（仕事に）　必要です。

旅行	整理	仕事	勉強	料理

1） テープレコーダーは 外国語の （　　　　） 役に 立ちます。
2） この ワインは （　　　　） 使います。
3） この 箱は 書類の （　　　　） いいです。
4） 小さい 傘は （　　　　） 便利です。

6. 例： あしたまでに 届く（(ように)、ために）、速達で 出して ください。
1） 引っ越しの 荷物を 運ぶ （ように、ために）、大きい 車を 借りました。
2） 電話番号を 忘れない（ように、ために）、メモして おいて ください。
3） 5時に 帰れる（ように、ために）、急いで 仕事を します。
4） 冬休みに スキーに 行く （ように、ために）、アルバイトを して います。

7.

カップラーメンの 話

インスタントラーメンは なべで 作って、どんぶりに 入れて 食べる物でした。 食品会社の 社長の 安藤さんは ある とき インスタントラーメンを 世界中に 輸出したいと 思いました。 その 調査の ために、アメリカへ 行った とき、一人の アメリカ人を 見ました。彼は ラーメンを コーヒーカップに 入れて、フォークで 食べて いました。 また 自動販売機では 紙コップが 使われて いました。安藤さんは どんぶりの 代わりに 軽くて、捨てられる カップを 使おうと 考えました。 そして カップラーメンが 生まれました。

お湯が あれば、どこででも 作れるし、すぐ 食べられるし、忙しい 人が 食べるのに とても 便利です。 カップラーメンは アメリカの スーパーでも 売られるように なりました。 今では 世界中で 食べられて います。

1）（　　）安藤さんは カップラーメンを 輸出する ために、アメリカへ 行きました。
2）（　　）カップラーメンは ある アメリカ人が 考えて 作りました。
3）（　　）カップラーメンは なべが なくても、作れます。
4）（　　）カップラーメンは 食べたら、カップを 捨てます。

42

第(だい)43課(か)

文(ぶん)型(けい)

1. 今(いま)にも　雨(あめ)が　降(ふ)りそうです。
2. ちょっと　切符(きっぷ)を　買(か)って　来(き)ます。

例(れい)文(ぶん)

1. 上着(うわぎ)の　ボタンが　とれそうですよ。
   …あっ、ほんとうですね。　どうも　ありがとう　ございます。

2. 暖(あたた)かく　なりましたね。
   …ええ、もうすぐ　桜(さくら)が　咲(さ)きそうですね。

3. ドイツの　りんごの　ケーキです。　どうぞ。
   …わあ、おいしそうですね。　いただきます。

4. 今度(こんど)の　課長(かちょう)、頭(あたま)が　よさそうだし、まじめそうですね。
   …ええ。　でも、服(ふく)の　センスは　なさそうですね。

5. 資料(しりょう)が　足(た)りませんね。
   …すみませんが、ちょっと　コピーして　来(き)て　ください。

6. ちょっと　出(で)かけて　来(き)ます。
   …何時(なんじ)ごろ　帰(かえ)りますか。
   4時(じ)までには　帰(かえ)る　つもりです。

会話

優しそうですね

シュミット：　それ、何の　写真ですか。
渡　辺　　：　お見合い写真です。
　　　　　　　お見合いの　会社から　もらって　来たんです。
シュミット：　お見合いの　会社が　あるんですか。
渡　辺　　：　ええ。　会員に　なると、自分の　情報や　希望が
　　　　　　　コンピューターに　入れられるんです。
　　　　　　　そして、コンピューターが　適当な　人を　選んで
　　　　　　　くれるんですよ。
シュミット：　へえ、おもしろそうですね。
渡　辺　　：　この　人、どう　思いますか。
シュミット：　ハンサムだし、優しそうだし、すてきな　人ですね。
渡　辺　　：　ええ。　年齢も、収入も、趣味も　わたしの　希望に
　　　　　　　ぴったりなんです。　そのうえ　名前も　同じなんですよ。
　　　　　　　渡辺さんと　いうんです。
シュミット：　へえ、コンピューターは　すごいですね。

練習(れんしゅう) A

1.

今(いま)にも　火(ひ)が	きえ	そうです。
荷物(にもつ)が	おち	
あしたは　暑(あつ)く	なり	
ことしは　輸出(ゆしゅつ)が	へり	

2.

この　料理(りょうり)は	まず	そうです。
彼女(かのじょ)は　頭(あたま)が	よさ	
この　机(つくえ)は	じょうぶ	

3.

ちょっと	たばこを	かって	来(き)ます。
	電話(でんわ)を	かけて	
		しょくじして	

43

練習 B

1\. 例： → 荷物が 落ちそうです。

☞ 1） →　　2） →　　3） →　　4） →

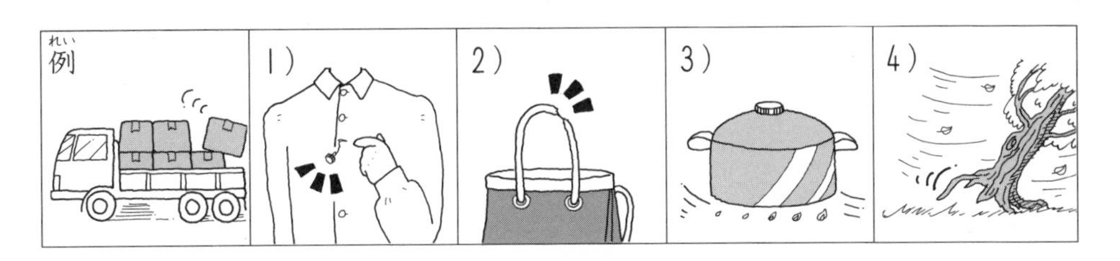

2\. 例： 袋が 破れます・新しいのを ください

→ 袋が 破れそうですから、新しいのを ください。

1） いすが 壊れます・修理して いただけませんか →

2） ガソリンが なくなります・入れて おいて ください →

3） 雨が 降ります・傘を 持って 行きましょう →

4） 子どもが 生まれます・すぐ タクシーを 呼んで ください →

3\. 例： きょうは 暑く なります → きょうは 暑く なりそうです。

1） ことしは 去年より 早く 桜が 咲きます →

2） これからも 結婚しない 人が 増えます →

3） ことしの 夏は 1週間ぐらい 休みが 取れます →

4） ことしは 米の 値段が 上がります →

4\. 例： 道が 込んで います・駅まで 2時間ぐらい かかります

→ 道が 込んで いるので、駅まで 2時間ぐらい かかりそうです。

1） みんな あまり 食べません・料理が 残ります →

2） この 服は 色も デザインも いいです・売れます →

3） 西の 空が 明るく なりました・もうすぐ 雨が やみます →

4） 資料が たくさん あります・いい レポートが 書けます →

5\. 例： 忙しいです・手伝います → 忙しそうですね。 手伝いましょうか。

1） 暑いです・窓を 開けます →

2） 気分が 悪いです・ちょっと 車を 止めます →

3）　その　かばんは　重いです・持ちます　→

4）　寒いです・暖房を　つけます　→

6.　例：　この　本は　難しい　ことばが　多いです

→　この　本は　難しい　ことばが　多くて、つまらなそうです。

1）　鈴木さんは　仕事が　ありません　→

2）　この　ナイフは　はさみも　ついて　います　→

3）　彼は　友達が　いません　→

4）　鈴木さんは　手紙を　もらいました　→

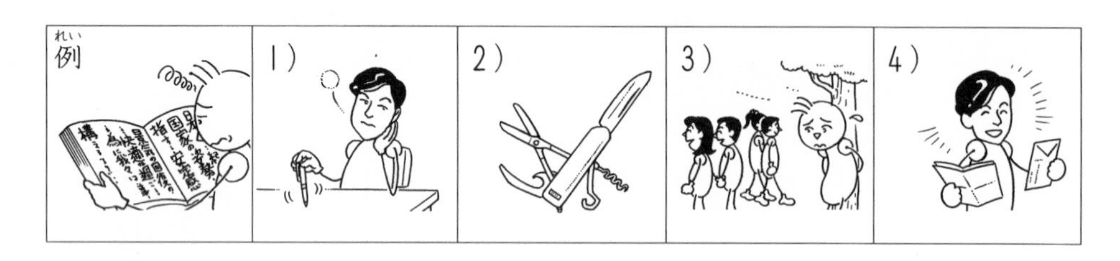

7.　例：　電話を　かけます

→　ちょっと　電話を　かけて　来ますから、ここで　待って　いて
ください。

1）　バスの　時間を　見ます　→

2）　道を　聞きます　→

3）　ジュースを　買います　→

4）　車を　駐車場に　止めます　→

8.　例：　どう　したんですか。

（教室に　時計を　忘れました・ちょっと　取ります）

→　教室に　時計を　忘れたので、ちょっと　取って　来ます。

1）　どう　したんですか。

（変な　音が　聞こえました・ちょっと　見ます）　→

2）　どこへ　行くんですか。

（用事が　あります・ちょっと　出かけます）　→

3）　説明書を　いただけませんか。

（1枚しか　ありません・ちょっと　コピーします）　→

4）　出かけるんですか。

（ええ。　友達が　来ます・迎えに　行きます）　→

練習(れんしゅう) C

1\. A： ミラーさん、いっしょに　帰(かえ)りませんか。
B： まだ　少(すこ)し　仕事(しごと)が　あるんです。
A： ①あと　何分(なんぷん)ぐらいで　②終(お)わりそうですか。
B： ③15分(ふん)ぐらいで　②終(お)わると　思(おも)います。
A： そうですか。　じゃ　待(ま)って　います。

1) ① あと　どのくらい
② かかります
③ 20分(ぷん)ぐらい

2) ① 何時(なんじ)ごろ
② 帰(かえ)れます
③ もうすぐ

2\. A： ①うれしそうですね。　何(なに)か　いい　ことが　あったんですか。
B： ええ。　実(じつ)は　②きのう　子(こ)どもが　生(う)まれたんです。
A： そうですか。　それは　③おめでとう　ございます。

1) ① 楽(たの)しいです
② あしたから　海外旅行(かいがいりょこう)に　行(い)きます
③ 楽(たの)しみですね

2) ① 幸(しあわ)せです
② 来月(らいげつ)　結婚(けっこん)します
③ おめでとう　ございます

3\. A： ちょっと　郵便局(ゆうびんきょく)へ　行(い)って　来(き)ます。
B： じゃ、この　荷物(にもつ)を　取(と)って　来(き)て　いただけませんか。
A： いいですよ。

1) はがきを　5枚(まい)　買(か)います
2) この　手紙(てがみ)を　出(だ)します

問題

1.　1）＿＿＿＿＿＿＿＿＿＿＿＿＿＿＿＿＿＿＿＿

　　2）＿＿＿＿＿＿＿＿＿＿＿＿＿＿＿＿＿＿＿＿

　　3）＿＿＿＿＿＿＿＿＿＿＿＿＿＿＿＿＿＿＿＿

2.　1）（　　）　2）（　　）　3）（　　）　4）（　　）　5）（　　）

3.　例：　うしろの　ポケットから　ハンカチが　（　落ち　）そうですよ。

　　　　…あ、ほんとうだ。どうも。

　1）　荷物が　重くて、袋の　ひもが　（　　　）そうです。

　　　…じゃ、新しいのに　換えましょう。

　2）　ビールが　足りなく　（　　　）そうです。

　　　…じゃ、すぐ　買いに　行きます。

　3）　急ぎましょう。時間に　（　　　）そうですよ。

　　　…じゃ、タクシーで　行きましょう。

　4）　ずいぶん　寒く　なりましたね。

　　　…ええ、雪が　（　　　）そうですね。

4.　例1：　どう　したんですか。気分が　（　悪　）そうですね。

　　　　…ええ、ちょっと　疲れて　いるんです。

　例2：　（　元気　）そうですね。

　　　　…ええ、スポーツを　始めてから、体の　調子が　いいんです。

　1）　わあ、（　　　）そうですね。ワンさんが　作ったんですか。

　　　…ええ、中国の　料理です。どうぞ。

　2）　この　お寺、ずいぶん　（　　　）そうですね。いつ　できたんですか。

　　　…500年ぐらいまえに　建てられました。

　3）　この　ひもは　（　　　）そうですよ。

　　　…ああ、その　ひもなら、なかなか　切れないでしょう。

　4）　その　かばん、旅行に　（　　　）そうですね。

　　　…ええ、軽いし、ポケットも　たくさん　あるんです。

5.　例：　郵便局へ　行きますが、何か　用事は　ありませんか。
　　…じゃ、60円の　切手を　5枚　（　買って　）　来て　ください。

いれます	~~買います~~	聞きます	見ます	呼びます

1）　空港へ　行く　バスの　乗り場は　どこでしょうか。
　　…さあ。あの　店で　（　　　　　）　来ましょう。
2）　会議が　終わったか　どうか、（　　　　　）　来て　ください。
　　…はい、わかりました。
3）　課長が　ミラーさんを　捜して　いますよ。
　　…食堂に　いると　思いますから、すぐ　（　　　　　）　来ます。
4）　ちょっと　休憩しませんか。
　　…じゃ、コーヒーでも　（　　　　　）　来ましょう。

6.

鈴木君の　日記

2月2日（日）
　朝から　雪が　降って　いる。　外は　寒そうだったので、1日　うちに
いた。　暇だったので、高橋に　電話して　みたが、いなかった。　スキーに
行って　いるのを　思い出した。
4月13日（日）
　大学の　友達の　結婚式に　出た。　そこで　渡辺あけみさんに　会った。
すてきな　人だと　思った。
6月21日（土）
　きょうも　朝から　雨だった。　あけみさんの　誕生日の　パーティーに
行った。　あけみさんが　好きな　ばらの　花を　持って　行った。
あけみさんは　うれしそうだった。　帰る　とき、「今度　二人で
ドライブに　行きませんか」と　言って　みた。　あけみさんは　「ええ」と
言って　くれた。
11月17日（月）
　きょう　みんなに　「うれしそうだね」と　言われた。　きのう
あけみさんが　僕と　結婚すると　言って　くれた。　幸せだ。

1）（　　）あけみさんは　鈴木君の　大学の　ときの　友達です。
2）（　　）6月20日は　雨でした。
3）（　　）鈴木君は　11月16日に　あけみさんと　結婚しました。

第44課

文型

1. ゆうべ　お酒を　飲みすぎました。
2. この　パソコンは　使いやすいです。
3. ズボンを　短く　して　ください。
4. 今夜は　楽しく　踊りましょう。

例文

1. 泣いて　いるんですか。
   …いいえ、笑いすぎて、涙が　出たんです。
2. 最近の　車は　操作が　簡単ですね。
   …ええ。　でも、簡単すぎて、運転が　おもしろくないです。
3. 田舎と　町と、どちらが　住みやすいですか。
   …田舎の　ほうが　住みやすいと　思います。
   物価も　安いし、空気も　きれいですから。
4. この　コップは　丈夫で　割れにくいですよ。
   …子どもが　使うのに　安全で、いいですね。
5. もう　夜　遅いですから、静かに　して　いただけませんか。
   …はい。　すみません。
6. 今晩の　おかずは　何に　しましょうか。
   …きのうは　肉を　食べたから、きょうは　魚料理に　しようよ。
7. 電気や　水は　大切に　使いましょう。
   …はい、わかりました。
8. 野菜は　細かく　切って、卵と　混ぜます。
   …はい。　これで　いいですか。

会話(かいわ)

この　写真(しゃしん)みたいに　して　ください

美容師(びようし)：　いらっしゃいませ。　きょうは　どう　なさいますか。

イー　：　カット、お願(ねが)いします。

美容師(びようし)：　じゃ、シャンプーを　しますから、こちらへ　どうぞ。

美容師(びようし)：　カットは　どういうふうに　なさいますか。

イー　：　ショートに　したいんですけど……。
この　写真(しゃしん)みたいに　して　ください。

美容師(びようし)：　あ、すてきですね。

美容師(びようし)：　前(まえ)の　長(なが)さは　これで　よろしいでしょうか。

イー　：　そうですね。　もう　少(すこ)し　短(みじか)く　して　ください。

美容師(びようし)：　どうも　お疲(つか)れさまでした。　いかがですか。

イー　：　けっこうです。　どうも　ありがとう。

練習(れんしゅう) A

1.

お酒(さけ)を	のみ	すぎました。
お土産(みやげ)を	かい	
ごはんを	たべ	

2.

この　問題(もんだい)は	むずかし	すぎます。
この　部屋(へや)は	せま	
この　方法(ほうほう)は	ふくざつ	

3.

この　くすり	は		のみ	やすいです。
この　はさみ			つかい	
やまの　てんき			かわり	
あめの　ひ		事故(じこ)が	おき	

4.

とうきょう	は		すみ	にくいです。
この　くつ			あるき	
この　コップ			われ	
あめの　ひ		洗濯物(せんたくもの)が	かわき	

5.

かみ	を	みじか	く	します。
ねだん		やす	く	
へや		きれい	に	
みずの　りょう		2ばい	に	

6.

晩(ばん)ごはんは	カレーライス	に	します。
	てんぷら		
	わしょく		

7.

操作(そうさ)の　し方(かた)を	くわし	く	説明(せつめい)します。
字(じ)を　もっと	おおき	く	書(か)いて　ください。
机(つくえ)の　上(うえ)を	きれい	に	片(かた)づけて　ください。
部長(ぶちょう)には　もっと	ていねい	に	話(はな)した　ほうが　いいです。

練習　B

1.　例：　→　お酒を　飲みすぎました。

☞　1）　→　　2）　→　　3）　→　　4）　→

2.　例：　この　うち・家賃が　高い

　　→　この　うちは　家賃が　高すぎます。

1）　この　上着・長い　→

2）　この　コピー・薄い　→

3）　この　コーヒー・濃い　→

4）　この　問題・簡単　→

3.　例：　のどが　痛いんですか。（きのう　カラオケで　歌いました）

　　→　ええ。　きのう　カラオケで　歌いすぎたんです。

1）　気分が　悪いんですか。（きのう　飲みました）　→

2）　目が　痛いんですか。（本を　読みました）　→

3）　ビデオカメラを　買わなかったんですか。（値段が　高かったです）　→

4）　使い方が　わからないんですか。（説明書が　複雑です）　→

4.　例1：　雪の　日は　道が　よく　滑ります

　　→　雪の　日は　道が　滑りやすいです。

例2：　ことしの　かぜは　なかなか　治りません

　　→　ことしの　かぜは　治りにくいです。

1）　秋は　天気が　よく　変わります　→

2）　交差点では　車の　事故が　よく　起きます　→

3）　車の　窓ガラスは　なかなか　割れません　→

4）　雨の　日は　洗濯物が　なかなか　乾きません　→

5.　例1：　この　辞書は　字が　大きいです・見ます

　　　　→　この　辞書は　字が　大きくて、見やすいです。

　例2：　この　道は　狭いです・運転します

　　　　→　この　道は　狭くて、運転しにくいです。

　1）　新しい　ビデオカメラは　軽いです・使います　→

　2）　ここは　交通が　便利です・住みます　→

　3）　あの　先生の　話は　難しいです・わかります　→

　4）　12月は　忙しいです・休みを　取ります　→

6.　例：　→　濃いですから、薄く　して　ください。

　1）　→　　2）　→　　3）　→　　4）　→

7.　例：　ホテルは　どこに　しますか。（ホテル広島）

　　　　→　ホテル広島に　して　ください。

　1）　出発は　いつに　しますか。（18日）　→

　2）　飛行機は　どの　便に　しますか。（11時ごろの　便）　→

　3）　部屋は　シングルに　しますか、ツインに　しますか。（ツイン）　→

　4）　食事は　和食と　洋食と　どちらに　しますか。（和食）　→

8.　例1：　理由を　説明しました・詳しい

　　　　→　理由を　詳しく　説明しました。

　例2：　字を　書いて　ください・丁寧

　　　　→　字を　丁寧に　書いて　ください。

　1）　ボタンを　押して　ください・もっと　強い　→

　2）　スピーチが　できましたか・うまい　→

　3）　話しましょう・もう　少し　静か　→

　4）　野菜を　洗って　ください・きれい　→

練習(れんしゅう) C

1. A： どう　したんですか。

　 B： 忘年会(ぼうねんかい)で　①お酒(さけ)を　飲(の)みすぎて、②頭(あたま)が　痛(いた)いんです。

　 A： それは　いけませんね。　お大事(だいじ)に。

　　1）① 食(た)べます

　　　 ② おなかの　調子(ちょうし)が　悪(わる)いです

　　2）① 歌(うた)を　歌(うた)います

　　　 ② のどの　調子(ちょうし)が　おかしいです

2. A： この　①テーブル、いいですね。

　 B： ええ。　これは　最近(さいきん)　人気(にんき)が　あります。

　　　 ②大(おお)きさが　調節(ちょうせつ)できて、③使(つか)いやすいんです。

　 A： そうですか。　じゃ、これに　します。

　　1）① たんす

　　　 ② 引(ひ)き出(だ)しが　たくさん　あります

　　　 ③ 物(もの)を　整理(せいり)します

　　2）① 冷蔵庫(れいぞうこ)

　　　 ② 野菜(やさい)が　たくさん　入(はい)ります

　　　 ③ 使(つか)います

3. A： すみません。　ちょっと　教(おし)えて　くださいませんか。

　 B： ええ、何(なん)ですか。

　 A： この　①図(ず)を　②大(おお)きく　したいんですが、

　　　 どう　すれば　いいですか。

　 B： この　キーを　押(お)せば、いいですよ。

　　1）① 線(せん)

　　　 ② 太(ふと)い

　　2）① 字(じ)

　　　 ② 2倍(ばい)

問題

1. 1) ＿＿＿＿＿＿＿＿＿＿＿＿＿＿＿＿＿＿＿＿
   2) ＿＿＿＿＿＿＿＿＿＿＿＿＿＿＿＿＿＿＿＿
   3) ＿＿＿＿＿＿＿＿＿＿＿＿＿＿＿＿＿＿＿＿
   4) ＿＿＿＿＿＿＿＿＿＿＿＿＿＿＿＿＿＿＿＿

2. 1)（　　）　2)（　　）　3)（　　）　4)（　　）　5)（　　）

3. 例1：　お酒を　（　飲みすぎました　）。
   例2：　この　説明書は　（　複雑すぎます　）。

   1)　塩を　（　　　　　　　　　　）。
   2)　カラオケで　（　　　　　　　　　　）。
   3)　ごはんの　量が　（　　　　　　　　　　）。
   4)　この　服は　（　　　　　　　　　　）。

4. 例：　テレビを　（　見すぎて　）、目が　疲れました。
   1)　ごはんを　（　　　　　　）、おなかが　痛いです。
   2)　お土産を　（　　　　　　）、一人で　持てません。
   3)　部屋が　（　　　　　　）、ベッドが　置けません。
   4)　この　アパートは　家賃が　（　　　　　　）、借りられません。

5. 例：　この　薬は　甘くて、（　飲み　）やすいです。

破れます　　持ちます　　割れます　　~~飲みます~~　　歩きます

   1)　この　靴は　軽くて、（　　　　　　）やすいです。
   2)　この　かばんは　大きすぎて、（　　　　　　）にくいです。
   3)　この　袋は　丈夫で、（　　　　　　）にくいです。
   4)　薄い　コップは　（　　　　　　）やすいです。

6．　例：　もう　11時ですから、（　静かに　）　して　ください。

小さい　　来週　　短い　　~~静か~~　　きれい

1）　この　ズボンは　長すぎますから、少し　（　　　）　して　ください。
2）　テレビの　音が　大きいですから、（　　　）　して　ください。
3）　テーブルの　上が　汚れて　いますから、（　　　）　して　ください。
4）　今週は　都合が　悪いですから、（　　　）　して　ください。

7．　例：　夕方は　道が　込みますから、（　早く　）　出発しましょう。

簡単　　~~早い~~　　細かい　　優しい　　熱心

1）　試験の　まえなので、学生は　みんな　（　　　）　勉強して　います。
2）　野菜は　（　　　）　切って、ごはんと　混ぜます。
3）　警官は　子どもに　（　　　）　名前を　聞きました。
4）　時間が　ありませんから、予定に　ついて　（　　　）　説明します。

8．

―結婚式の　スピーチ―

結婚式の　スピーチを　頼まれた　ことが　ありますか。　スピーチは　長すぎると、みんなに　嫌がられます。　また　短すぎると、お祝いの　気持ちが　うまく　伝えられません。　難しいですね。　練習して　おいても、大勢の　人の　前に　立つと、なかなか　上手に　できません。　話の　順序を　まちがえたり、忘れたり　します。　話の　大切な　所を　メモして　おくと、安心です。　できるだけ　易しい　ことばや　表現を　使うように　します。　難しい　ことばは　覚えにくいし、まちがえやすいからです。

それから、使っては　いけない　ことばが　あります。　例えば　「別れる」とか、「切れる」とかです。　これらは　縁起が　悪いので、使いません。　気を　つけましょう。

1）　短すぎる　スピーチは　どうして　よくないのですか。…
2）　スピーチを　忘れないように、何を　して　おくと　いいですか。…
3）　どうして　易しい　ことばや　表現を　使うのですか。…
4）　使っては　いけない　ことばは　何ですか。…

第45課

文型

1. カードを　なくした　場合は、すぐ　カード会社に　連絡して　ください。
2. 約束を　したのに、彼女は　来ませんでした。

例文

1. まちがい電話を　かけた　場合は、何と　言って　謝ったら　いいですか。
…「すみません。　番号を　まちがえました。」と　言えば　いいです。

2. これが　この　コンピューターの　保証書です。
調子が　悪い　場合は、この　番号に　連絡して　ください。
…はい、わかりました。

3. あのう、この　図書館では　コピーの　領収書が　もらえますか。
…ええ。　必要な　場合は　係に　言って　ください。

4. 火事や　地震の　場合は、絶対に　エレベーターを　使わないで　ください。
…はい、わかりました。

5. スピーチは　うまく　いきましたか。
…いいえ。　一生懸命　練習して　覚えたのに、途中で　忘れて　しまいました。

6. 雨なのに、ゴルフですか。
…ええ。　下手だけど、好きなんです。

会　話

一生懸命　練習したのに

係員　：　皆さん、この　マラソンは　健康マラソンですから、無理を　しないで　ください。
　　　　　もし　気分が　悪く　なったら、係員に　言って　ください。

参加者：　はい。

係員　：　コースを　まちがえた　場合は、元の　所に　戻って　続けて　ください。

参加者：　あのう、途中で　やめたい　場合は、どう　したら　いいですか。

係員　：　その　場合は、近くの　係員に　名前を　言ってから、帰って　ください。　では、スタートの　時間です。

鈴木　：　ミラーさん、マラソンは　どうでしたか。

ミラー：　2位でした。

鈴木　：　2位だったんですか。　すごいですね。

ミラー：　いいえ、一生懸命　練習したのに、優勝できなくて、残念です。

鈴木　：　また　来年が　ありますよ。

練習　A

1.

会社に	おくれる	場合は、連絡して　ください。
手紙が	つかない	
交通事故に	あった	
都合が	わるい	
資料が	ひつような	
エレベーターが	こしょうの	

2.

お金を	いれた	のに、	切符が　出ません。
30分も	まって　いる		タクシーが　来ません。
この　レストランは	おいしくない		値段が　高いです。
夫は　料理が	じょうずな		あまり　作って　くれません。
きょうは	にちようびな		働かなければ　なりません。

45

練習 B

1．例：　交通事故に　あいました・すぐ　警察に　連絡します

→　交通事故に　あった　場合は、すぐ　警察に　連絡して　ください。

1）　火事が　起きました・すぐ　119番に　電話します　→

2）　お金を　落としました・交番へ　行きます　→

3）　切符を　なくしました・駅員に　言います　→

4）　かぜの　薬を　飲みました・絶対に　車を　運転しません　→

2．例：　会社を　休みます・どう　しますか

→　会社を　休む　場合は、どう　したら　いいですか。

1）　予約を　キャンセルします・いつまでに　連絡しますか　→

2）　女の　人に　贈り物を　します・どんな　物に　しますか　→

3）　はんこが　ありません・どう　しますか　→

4）　早退しなければ　なりません・だれに　言いますか　→

3．例：　火事です・非常口から　逃げます

→　火事の　場合は、非常口から　逃げて　ください。

1）　熱が　高いです・この　薬を　飲みます　→

2）　領収書が　必要です・店の　人に　言います　→

3）　やけどです・すぐ　水で　冷やします　→

4）　体の　調子が　悪いです・無理を　しません　→

4．例：　お金を　入れました・切符が　出ません

→　お金を　入れたのに、切符が　出ません。

1）　2時間も　待ちました・ミラーさんは　来ませんでした　→

2）　速達で　手紙を　出しました・3日も　かかりました　→

3）　一生懸命　練習しました・運動会は　中止に　なりました　→

4）　田中さんは　太って　いません・ダイエットを　して　います　→

5.　例：　もう　4月に　なりました・まだ　寒いです

→　もう　4月に　なったのに、まだ　寒いです。

1）　仕事は　忙しいです・給料は　安いです　→

2）　休みです・仕事を　しなければ　なりません　→

3）　はんこが　必要でした・持って　行くのを　忘れました　→

4）　この　アパートは　汚くて、狭いです・家賃は　高いです　→

6.　例：　どう　したんですか。(スイッチを　入れました・パソコンが　動きません)

→　スイッチを　入れたのに、パソコンが　動かないんです。

1）　どう　したんですか。(ボタンを　押しました・ジュースが　出ません)
→

2）　体の　調子は　どうですか。(ちゃんと　薬を　飲んで　います・よく
なりません)　→

3）　新しい　車は　どうですか。(値段は　高かったです・よく
故障します)　→

4）　どうして　そんなに　急いで　いるんですか。(9時から　会議です・
まだ　準備が　できて　いません)　→

7.　例：　ことしも　社員旅行が　ありましたか。(楽しみに　して　いました)

→　いいえ、楽しみに　して　いたのに、ありませんでした。

1）　3時の　新幹線に　間に　合いましたか。(走って　行きました)　→

2）　グプタさんは　パーティーに　来ましたか。
(インド料理を　用意して　おきました)　→

3）　試験の　点は　よかったですか。(毎晩　遅くまで　勉強しました)　→

4）　コンサートの　チケットは　買えましたか。
(けさ　5時から　並びました)　→

練習(れんしゅう) C

1. A：キャンプの　予定(よてい)は　以上(いじょう)です。　何(なに)か　質問(しつもん)が　ありますか。
   B：①雨(あめ)が　降(ふ)った　場合(ばあい)は、どう　したら　いいですか。
   A：その　場合(ばあい)は　係(かかり)に　電話(でんわ)で　②聞(き)いて　ください。
   B：はい。　わかりました。

   1）① 出発(しゅっぱつ)の　時間(じかん)に　間(ま)に合(あ)いません
   　 ② 知(し)らせます
   2）① 急(きゅう)に　行(い)けなく　なりました
   　 ② 連絡(れんらく)します

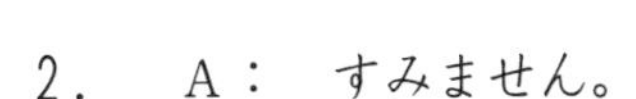

2. A：すみません。
   B：はい、何(なん)ですか。
   A：①ボタンを　押(お)したのに、②切符(きっぷ)が　出(で)ないんですが……。
   B：ちょっと　待(ま)って　ください。　調(しら)べますから。

   1）① 千円札(せんえんさつ)を　入(い)れました
   　 ② お釣(つ)りが　出(で)ません
   2）① この　レバーを　回(まわ)しました
   　 ② お金(かね)が　戻(もど)りません

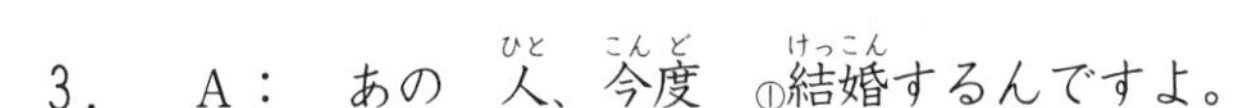

3. A：あの　人(ひと)、今度(こんど)　①結婚(けっこん)するんですよ。
   B：えっ、信(しん)じられませんね。
   　 あんなに　②独身(どくしん)の　ほうが　いいと　言(い)って　いたのに、……。
   A：そうですか。

   1）① 海外旅行(かいがいりょこう)に　行(い)きます
   　 ② 飛行機(ひこうき)が　嫌(きら)いです
   2）① 小学校(しょうがっこう)の　先生(せんせい)に　なります
   　 ② 子(こ)どもは　好(す)きじゃありません

問題

1.　1）＿＿＿＿＿＿＿＿＿＿＿＿＿＿＿＿＿＿＿＿

　　2）＿＿＿＿＿＿＿＿＿＿＿＿＿＿＿＿＿＿＿＿

2.　1）（　　）　2）（　　）　3）（　　）　4）（　　）　5）（　　）

3.　例：　予定が　（変わりました→　変わった）　場合は、連絡して　ください。

~~連絡します~~　　お金を　返します　　警察の　許可を　もらいます
係に　申し込みます　　この　ボタンで　調節します

　1）　ここに　車を　（止めます→　　　）　場合は、＿＿＿＿なければ　なりません。

　2）　コピーの　字が　（薄いです→　　　）　場合は、＿＿＿＿　ください。

　3）　コンサートが　（中止です→　　　）　場合は、＿＿＿＿　もらえます。

　4）　お弁当が　（必要です→　　　）　場合は、＿＿＿＿　ください。

4.　例：　一生懸命　（練習しました→　練習した）のに、負けて　しまいました。

　1）　まだ　（読んで　いません→　　　　　）のに、母が　雑誌を　捨てて　しまいました。

　2）　結婚式に（招待されました→　　　　　）のに、都合が　悪くて、行けませんでした。

　3）　もうすぐ　（4月です→　　　　）のに、なかなか　暖かく　なりません。

　4）　（寒いです→　　　　）のに、子どもは　外で　遊んで　います。

5.　例：　かぜは　治りましたか。

　　　…いいえ、毎日　薬を　飲んで　いるのに、まだ　治りません。

~~薬を　飲んで　います~~　　楽しみに　して　います　　会議が　始まります
たくさん　買って　おきます　　地図を　持って　行きます

1） ミラーさんは 来ましたか。

…いいえ、もうすぐ ＿＿＿＿＿＿＿＿＿＿＿＿のに、まだ 来ません。

2） ことしも お祭りに 行きましたか。

…いいえ、＿＿＿＿＿＿＿＿＿＿＿＿＿＿＿のに、雨で 中止でした。

3） 忘年会の 飲み物は 足りましたか。

…いいえ、＿＿＿＿＿＿＿＿＿＿＿＿＿＿＿のに、足りませんでした。

4） 駅へ 行く 道は すぐ わかりましたか。

…いいえ、＿＿＿＿＿＿＿＿＿＿のに、なかなか わかりませんでした。

6． 例： おいしい 料理を 作って、待って いたのに、彼は 来ませんでした。

1） 6年も 英語を 勉強したのに、あまり ＿＿＿＿＿＿＿＿＿＿＿＿。

2） あの レストランは 高いのに、あまり ＿＿＿＿＿＿＿＿＿＿＿＿。

3） カメラを 持って 行ったのに、＿＿＿＿＿＿＿＿＿＿＿＿＿＿＿。

4） この 洗濯機は 先週 修理したのに、＿＿＿＿＿＿＿＿＿＿＿＿。

7．

悩みの 相談

【相談】 僕の 悩みは 朝 起きられない ことです。 目覚まし時計が 3つも あるのに、起きられません。 夜は 早く 寝るように して いますが、朝 起きられるか どうか、心配で、なかなか 眠れません。 隣の 部屋の 友達は 「毎朝 君の 目覚ましで 目が 覚める」と 言って いますが、僕は 気が つきません。 気が ついても、止めて、また 寝て しまうんです。 どう したら いいですか。

（小川たけし 大学生）

【回答】 まず 寝る まえに、難しくて、おもしろくない 本を 読みましょう。 すぐ 眠く なりますよ。 それから 3つの 目覚まし時計は 違う 時間に 鳴るように、セットして、いろいろな 所に 置いて おきます。 時計が 鳴ると、起きて、止めに 行かなければ ならないので、目が 覚めますよ。 それでも だめな 場合は、隣の 友達に 起こして もらいましょう。

1）（　　） 小川君は 朝 隣の 部屋の 友達を 起こして あげます。

2）（　　） 小川君は 夜 すぐ 眠って しまいます。

3）（　　） 小川君は 目覚まし時計が 鳴るか どうか、心配です。

4）（　　） 答える 人は 難しくて、おもしろくない 本を 読んだら、眠く なると 思って います。

復習 I

1.　例：　子どもの　誕生日に　自転車を　（買います→　買って）　やりました。

　1）　先生に　作文の　まちがいを　（直します→　　　　）　いただきました。

　2）　部長の　奥さんは　わたしに　お茶を　（教えます→　　　　）　くださいました。

　3）　シャツの　ボタンが　（とれます→　　　　）そうです。

　4）　その　本、漢字が　多くて、（難しい→　　　　）そうですね。

　5）　ちょっと　たばこを　（買います→　　　　）　来ます。

　6）　ごはんの　量が　（多いです→　　　　）すぎます。

　7）　この　コップは　（割れます→　　　　）にくいですから、子どもが　（使います→　　　　）のに　安全で　いいです。

　8）　医者に　（なります→　　　　）　ために、勉強して　います。

　9）　さっき　（習います→　　　　）のに、もう　忘れて　しまいました。

　10）　夫は　料理が　（上手です→　　　　）のに、作って　くれません。

2.　例：　部屋を　もっと　（きれい→　きれいに）　したいです。

　1）　砂糖の　量を　（半分→　　　　）　して　ください。

　2）　髪を　（赤い→　　　　）　して　みたいです。

　3）　これから　論文の　書き方を　（詳しい→　　　　）　説明します。

　4）　電気や　水は　（大切→　　　　）　使いましょう。

3.　例：　事故（　で　）、会社に　遅れました。

　1）　結婚の　お祝い（　　）　部長に　時計を　いただきました。

　2）　あそこで　荷物（　　）　預かって　くれます。

　3）　家族（　　）　ために、大きい　うちを　買いたいです。

　4）　この　セーターは　わたし（　　）　ぴったりです。

　5）　この　バッグは　物が　入れやすくて、旅行や　仕事（　　）　便利です。

　6）　田舎は　物価（　　）　安いし、空気（　　）　きれいです。

　7）　もう　夜　遅いですから、静か（　　）　して　いただけませんか。

　8）　駅まで　歩いて　10分（　　）　行けます。

　9）　今晩の　おかずは　すき焼き（　　）　しましょう。

　10）　わたしは　水道の　歴史（　　）　興味が　あります。

　11）　来週　ボーナス（　　）　出ます。

　12）　この　車、修理（　　）　何日　かかりますか。
　　…そうですね。1週間（　　）　かかります。

えっ、1週間（　　）かかるんですか。

13) マラソンを　途中（　　）やめたい　場合は、係員（　　）名前を　言ってから、帰って　ください。

4．例：休みの　日は　（たいてい）絵を　かいて　います。

一生懸命	急に	今にも	ちゃんと	絶対に
さっき	~~たいてい~~	やっと	できるだけ	

1) 見た　とおりに、（　　　　）詳しく　話して　ください。
2) 田中さんは　どこですか。
　…田中さんなら、（　　　　）食堂で　見ましたよ。
3) 火事や　地震の　場合は、（　　　　）エレベーターを　使わないで　ください。
4) 自分の　店を　持つ　ために、（　　　　）働いて　います。
5) （　　　　）雨が　降りそうです。
6) （　　　　）薬を　飲んで　いるのに、病気が　治りません。
7) キャンプに　（　　　　）行けなく　なった　場合は、係に　電話で　連絡して　ください。
8) このごろ　（　　　　）まちがえないで　かたかなの　ことばが　書けるように　なりました。

5．例：出発します　（到着します）

1)	ぬれます	（　　　　）	2)	太ります	（　　　　）
3)	上がります	（　　　　）	4)	捨てます	（　　　　）
5)	増えます	（　　　　）	6)	成功します	（　　　　）
7)	笑います	（　　　　）	8)	入学します	（　　　　）
9)	厚い	（　　　　）	10)	軟らかい	（　　　　）
11)	大きな	（　　　　）	12)	簡単	（　　　　）
13)	細い	（　　　　）	14)	きれい	（　　　　）
15)	おいしい	（　　　　）	16)	おもしろい	（　　　　）
17)	祖父	（　　　　）	18)	表	（　　　　）
19)	出口	（　　　　）	20)	ほんとう	（　　　　）
21)	おば	（　　　　）	22)	戦争	（　　　　）
23)	冷房	（　　　　）	24)	予習	（　　　　）
25)	質問	（　　　　）	26)	東	（　　　　）

第 46 課

文　型

1. 会議は　今から　始まる　ところです。
2. 彼は　3月に　大学を　卒業した　ばかりです。
3. 書類は　速達で　出しましたから、あした　着く　はずです。

例　文

1. もしもし、田中ですが、今　いいでしょうか。
…すみません。　今から　出かける　ところなんです。
　帰ったら、こちらから　電話します。

2. 故障の　原因は　わかりましたか。
…いいえ、今　調べて　いる　ところです。

3. 渡辺さんは　いますか。
…あ、たった今　帰った　ところです。
　まだ　エレベーターの　所に　いるかも　しれません。

4. 仕事は　どうですか。
…先月　会社に　入った　ばかりですから、まだ　よく
　わかりません。

5. この　ビデオカメラ、先週　買った　ばかりなのに、もう
動かないんです。
…じゃ、ちょっと　見せて　ください。

6. テレサの　熱は　下がるでしょうか。
…今　注射を　しましたから、3時間後には　下がる　はずです。

会話

もうすぐ　着く　はずです

係員　：　はい、ガスサービスセンターで　ございます。

タワポン：　あのう、ガスレンジの　調子が　おかしいんですが……。

係員　：　どんな　具合ですか。

タワポン：　先週　直した　ばかりなのに、また　火が　すぐ　消えて　しまうんです。　危ないので、早く　見に　来て　くれませんか。

係員　：　わかりました。　5時ごろには　行けると　思います。　ご住所と　お名前を　お願いします。

タワポン：　もしもし、5時ごろに　ガスレンジを　見に　来て　くれる　はずなんですが、まだですか。

係員　：　すみません。　どちら様でしょうか。

タワポン：　タワポンと　いいます。

係員　：　ちょっと　お待ち　ください。　係員に　連絡しますから。

係員　：　お待たせしました。　今　そちらに　向かって　いる　ところです。　あと　10分ほど　お待ち　ください。

練習(れんしゅう) A

1. ちょうど　今(いま)から

試合(しあい)が	はじまる	ところです。
	でかける	
みんなで	しょくじする	

2. 今(いま)

部屋(へや)を	かたづけて　いる	ところです。
論文(ろんぶん)を	かいて　いる	
アパートを	さがして　いる	

3. たった今(いま)

	おきた	ところです。
バスが	でた	
うちへ	かえって　きた	

4.

林(はやし)さんは　先月(せんげつ)　この　会社(かいしゃ)に	はいった	ばかりです。
わたしは　さっき　昼(ひる)ごはんを	たべた	
この　コピー機(き)は　きのう	しゅうりした	

5.

荷物(にもつ)は　あした	とどく	はずです。
グプタさんは　お酒(さけ)を	のまない	
課長(かちょう)は　ドイツ語(ご)が	じょうずな	
あの　スーパーは　あしたは	やすみの	

練習　B

1.　例：　昼ごはんは　もう　食べましたか。（これから）

　　　→　いいえ、これから　食べる　ところです。

　1）　試合は　もう　始まりましたか。（ちょうど　今から）　→

　2）　返事は　もう　書きましたか。（これから）　→

　3）　薬は　もう　飲みましたか。（これから）　→

　4）　おふろには　もう　入りましたか。（ちょうど　今から）　→

2.　例：　コピーは　もう　できましたか。（やります）

　　　→　いいえ、今　やって　いる　ところです。

　1）　故障の　原因は　わかりましたか。（調べます）　→

　2）　パンは　もう　焼けましたか。（焼きます）　→

　3）　論文は　もう　出しましたか。（書きます）　→

　4）　結婚式の　日は　もう　決めましたか。（相談します）　→

3.　例：　小川さんは　もう　帰りましたか。

　　　→　はい、たった今　帰った　ところです。

　1）　8時の　バスは　もう　出ましたか。　→

　2）　太郎君は　もう　寝ましたか。　→

　3）　会議は　もう　終わりましたか。　→

　4）　書類は　もう　届きましたか。　→

4. 例： さっき　起きました・食欲が　ありません

→　さっき　起きた　ばかりですから、食欲が　ありません。

1）　先週　退院しました・まだ　スポーツは　できません　→

2）　ことしの　4月に　会社に　入りました・まだ　給料は　安いです　→

3）　子どもが　寝ました・静かに　して　ください　→

4）　さっき　洗濯しました・タオルは　まだ　乾いて　いません　→

5. 例： この　ステレオは　先月　買いました・もう　壊れました

→　この　ステレオは　先月　買った　ばかりなのに、もう　壊れて　しまいました。

1）　さっき　名前を　聞きました・もう　忘れました　→

2）　先週　ボーナスを　もらいました・もう　使いました　→

3）　朝　靴を　磨きました・もう　汚れました　→

4）　あの　二人は　去年　結婚しました・もう　離婚しました　→

6. 例： 荷物は　きょう　着きますか。

（きのう　宅配便で　送りました）

→　ええ、きのう　宅配便で　送りましたから、着く　はずです。

1）　彼女は　来るでしょうか。

（きのう　出席の　返事を　もらいました）　→

2）　あの　レストランは　おいしいですか。

（案内書に　書いて　あります）　→

3）　隣の　人は　留守ですか。

（1か月ほど　旅行に　行くと　言って　いました）　→

4）　カリナさんは　絵が　上手ですか。

（美術を　勉強して　います）　→

練習（れんしゅう） C

1. A： 夏休み（なつやすみ）、どこか 行き（い）ますか。
B： ええ。 外国（がいこく）へ 行こう（い）と 思って（おも） いるんですが……。
A： いいですねえ。 どこへ 行く（い）んですか。
B： 今（いま） 考えて（かんが） いる ところです。

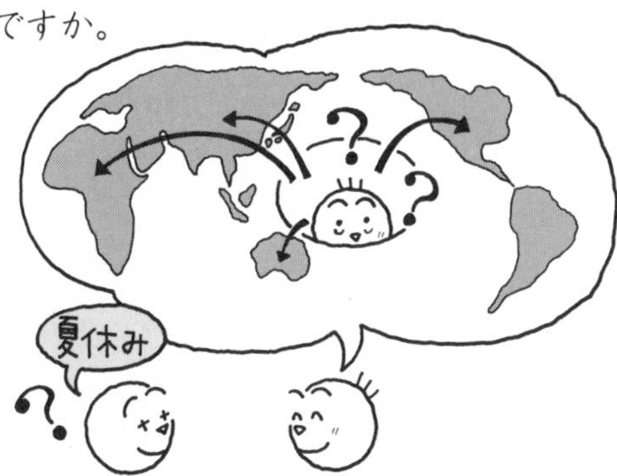

1） 旅行社（りょこうしゃ）の 人（ひと）に いろいろ 聞き（き）ます
2） いろいろ パンフレットを 見（み）ます

2. A： ①大学（だいがく）は どうですか。
B： 先月（せんげつ） ②授業（じゅぎょう）が 始まった（はじ） ばかりですから、
まだ よく わかりません。
A： そうですね。 初め（はじ）は 大変（たいへん）かも しれませんが、
頑張って（がんば） ください。
B： はい。

1） ① 研究（けんきゅう）
② 大学院（だいがくいん）に 入り（はい）ます
2） ① 新しい（あたら） 仕事（しごと）
② 始め（はじ）ます

3. A： ミラーさん、①きょう 来る（く）でしょうか。
B： ①来る（く） はずですよ。 ②きのう 電話（でんわ）が ありましたから。
A： じゃ、大丈夫（だいじょうぶ）ですね。

1） ① 道（みち）が わかります
② きのう 地図（ちず）を 渡し（わた）ました
2） ① 一人（ひとり）で 来（こ）られます
② まえに 来（き）た ことが あります

46

問題

1.　1）＿＿＿＿＿＿＿＿＿＿＿＿＿＿＿＿＿＿＿＿

　　2）＿＿＿＿＿＿＿＿＿＿＿＿＿＿＿＿＿＿＿＿

2.　1）（　　）　2）（　　）　3）（　　）　4）（　　）　5）（　　）

3.　例：　もう　昼ごはんを　食べましたか。

　　　…いいえ、今から　（　食べる　）　ところです。

　1）　ワットさんは　もう　出かけましたか。

　　　…はい、たった今　（　　　　　）　ところです。

　2）　コンサートは　もう　始まりましたか。

　　　…これから　（　　　　　）　ところですから、急いで　ください。

　3）　火事の　原因は　調べましたか。

　　　…今　（　　　　　）　ところです。

　4）　会議の　資料は　もう　コピーしましたか。

　　　…今　田中さんが　（　　　　　）　ところなので、もう　少し　待って
　　　ください。

4.　例：　この　パン、おいしそうですね。

　　　…ええ、さっき　（　焼いた　）　ばかりなんですよ。
　　　どうぞ　食べて　ください。

　1）　いつ　日本へ　来ましたか。

　　　…2週間まえに　（　　　　　）　ばかりです。

　2）　いい　車ですね。新しいんですか。

　　　…ええ、先週　（　　　　　）　ばかりなんです。

　3）　お子さんは　おいくつですか。

　　　…1か月です。先月　（　　　　　）　ばかりです。

　4）　コーヒーは　いかがですか。

　　　…いいえ、けっこうです。さっき　（　　　　　）　ばかりですから。

5．例：　タワポンさんは　2時に　うちを　出ると　言って　いましたから、
　　　3時ごろ　ここに　（　着く　）　はずです。

必要です　　おいしいです　　医者です　　わかります　　~~着きます~~

1）　田中さんに　きのう　うちの　地図を　かいて　渡しましたから、道は
　　（　　　　）　はずです。

2）　部長の　息子さんは　（　　　　）　はずです。

3）　あの　レストランは　予約が　（　　　　）　はずです。

4）　この　料理は　ミラーさんが　作りましたから、（　　　　）　はずです。

6．

電子図書館

　図書館は　知識の　宝庫です。　いろいろな　情報が　集められて　います。　図書館へ　行けば、いつでも　必要な　本が　手に　入る　はずです。　しかし、図書館に　欲しい　本が　ない　ときや、調べに　行く　時間が　ない　ときが　あります。　そんな　とき、電子図書館が　役に　立ちます。

　電子図書館は　パソコンを　使って　図書館を　利用する　システムです。例えば、キーワードや　本の　名前の　一部分を　入力すれば、欲しい　本が　すぐ　調べられます。　辞書　1冊が　2秒で　出せるし、図や　写真も　簡単に　見られます。　出た　ばかりの　新しい　本も　すぐ　見られます。　電子図書館なら、いつでも　どこででも　利用できます。

　最近　人は　本を　読まなく　なったと　言われて　いますが、パソコンを　使って　図書館を　利用する　人が　増えるかも　しれません。

1）（　　）図書館へ　行けば、いつでも　読みたい　本が　手に　入ります。

2）（　　）電子図書館は　パソコンで　本を　探して、見る　ことが　できる　システムです。

3）（　　）電子図書館で　本を　探す　とき、その　本の　名前が　全部　わからなければ、見つけられません。

4）（　　）図書館が　休みの　日は　電子図書館が　使えません。

第47課

文型

1. 天気予報に　よると、あしたは　寒く　なるそうです。
2. 隣の　部屋に　だれか　いるようです。

例文

1. 新聞で　読んだんですが、1月に　日本語の　スピーチ大会が　あるそうですよ。　ミラーさんも　出て　みませんか。
   …そうですね。　考えて　みます。

2. クララさんは　子どもの　とき、フランスに　住んで　いたそうです。
   …それで　フランス語も　わかるんですね。

3. パワー電気の　新しい　電子辞書は　とても　使いやすくて、いいそうですよ。
   …ええ。　わたしは　もう　買いました。

4. この間　インドネシアの　バリ島へ　遊びに　行って　来ました。
   …とても　きれいな　所だそうですね。
   ええ。　ほんとうに　よかったです。

5. にぎやかな　声が　しますね。
   …ええ。　パーティーでも　して　いるようですね。

6. 人が　大勢　集まって　いますね。
   …事故のようですね。　パトカーと　救急車が　来て　いますよ。

会話

婚約したそうです

渡辺：　お先に　失礼します。
高橋：　あっ、渡辺さん、ちょっと　待って。　僕も　帰りますから……。
渡辺：　すみません、ちょっと　急ぎますから。

高橋：　渡辺さん、このごろ　早く　帰りますね。
　　　　どうも　恋人が　できたようですね。
林　：　あ、知らないんですか。　この間　婚約したそうですよ。
高橋：　えっ、だれですか、相手は。
林　：　IMCの　鈴木さんですよ。
高橋：　えっ、鈴木さん？
林　：　去年　渡辺さんの　友達の　結婚式で　知り合ったそうですよ。
高橋：　そうですか。
林　：　ところで、高橋さんは？
高橋：　僕ですか。　僕は　仕事が　恋人です。

練習（れんしゅう）　A

1\. 新聞（しんぶん）に　よると、

あしたは　雨（あめ）が	ふる	そうです。
台風（たいふう）は	こない	
けさ　神戸（こうべ）で　ひどい　地震（じしん）が	あった	
地震（じしん）で　けがを　した　人（ひと）は	いなかった	
ことしは　夏（なつ）が	みじかい	
札幌（さっぽろ）の　雪祭（ゆきまつ）りは	きれいだ	
あしたの　天気（てんき）は	くもりだ	

2\.

コンサートが	はじまる	ようです。
課長（かちょう）は　事務所（じむしょ）に	いない	
きのうの　晩（ばん）　雨（あめ）が	ふった	
タワポンさんは　試験（しけん）に	ごうかくしなかった	
外（そと）は	さむい	
部長（ぶちょう）は　イギリス文学（ぶんがく）が	すきな	
小川（おがわ）さんの　話（はなし）は	ほんとうの	

練習　B

1.　例：　天気予報・あしたは　暑く　なります
　　　　→　天気予報に　よると、あしたは　暑く　なるそうです。
　　1）　きのうの　新聞・日本の　女性は　世界で　いちばん　長生きします　→
　　2）　アメリカの　科学雑誌・新しい　星が　発見されました　→
　　3）　家族の　手紙・ニューヨークは　とても　寒いです　→
　　4）　ワンさんの　話・医学の　勉強は　大変です　→

2.　例：　実験は　どうでしたか。（7時の　ニュース）
　　　　→　7時の　ニュースに　よると、失敗したそうです。
　　1）　サッカーの　試合は　どちらが　勝ったんですか。
　　　　（サントスさんの　話）　→
　　2）　交通事故が　いちばん　多いのは　何月ですか。（警察の　発表）　→
　　3）　最近　東京の　人口は　増えて　いるんですか。
　　　　（いいえ、最近の　データ）　→
　　4）　首相は　大統領の　意見に　賛成ですか。（いいえ、けさの　ニュース）
　　　　→

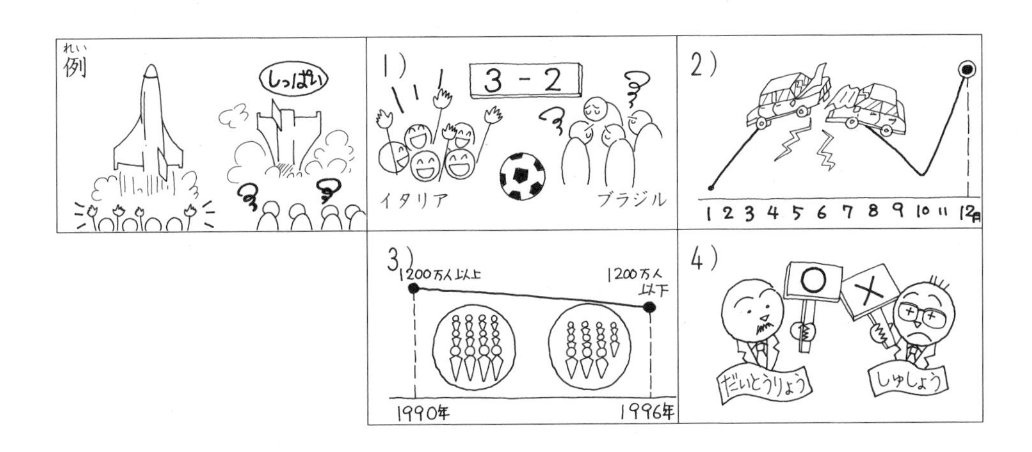

3.　例：　小川さんは　どこに　転勤したんですか。（大阪）
　　　　→　大阪に　転勤したそうです。
　　1）　あの　ビルは　いつ　できるんですか。（来年の　3月）→
　　2）　タワポンさんは　何を　勉強して　いるんですか。（日本文学）→
　　3）　火事の　原因は　何だったんですか。（たばこの　火）→
　　4）　どうして　あの　二人は　別れたんですか。（考え方が　違いました）
　　　　→

4．　例：　変な　におい（何か　燃えて　います）　→　変な　においが　しますね。
……ええ、何か　燃えて　いるようです。

1）　子どもの　声（子どもたちが　けんかして　います）　→
2）　いい　におい（ケーキを　焼いて　います）　→
3）　変な　味（しょうゆと　ソースを　まちがえました）　→
4）　変な　音（エンジンが　故障です）　→

5．　例：　人が　集まって　いますね。（事故です）
→　ええ。　事故のようですね。

1）　電気が　消えて　いますね。（もう　だれも　いません）　→
2）　木の　葉が　たくさん　落ちて　いますね。（強い　風が　吹きました）
→
3）　あの　人、傘を　さして　いますね。（雨が　降って　います）　→
4）　かぎが　掛かって　いますね。（留守です）　→

6．　例：　だれか　来ました・ちょっと　見て　来ます
→　だれか　来たようですから、ちょっと　見て　来ます。

1）　庭に　猫が　います・見て　来ます　→
2）　外は　寒いです・コートを　着て　行った　ほうが　いいです　→
3）　ミラーさんは　カラオケが　好きです・ぜひ　誘いましょう　→
4）　この　荷物は　忘れ物です・交番へ　持って　行きましょう　→

練習 C

1. A：①小川さんが 課長に なったそうですよ。
   B：ほんとうですか。 いつですか。
   A：4月1日だそうです。
   B：じゃ、②お祝いを しないと……。

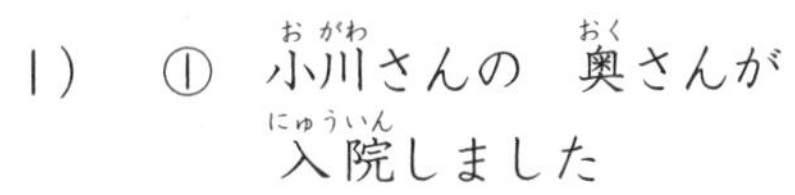

   1）① 小川さんの 奥さんが 入院しました
   　　② お見舞いに 行きます
   2）① 小川さんの お母さんが 80歳に なります
   　　② 何か お祝いを あげます

2. A：けさの ①ラジオを 聞きましたか。

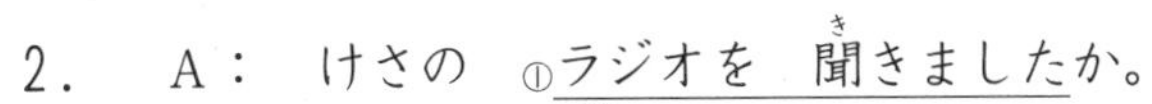

   B：いいえ。 何か あったんですか。
   A：ええ。
   　　②カリフォルニアで 山火事が あったそうですよ。
   B：ほんとうですか。 怖いですね。

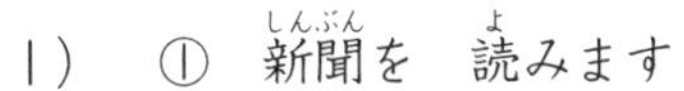

   1）① 新聞を 読みます
   　　② グアムで 飛行機が 落ちました
   2）① テレビを 見ます
   　　② イランで 大きな 地震が ありました

3. A：どう したんですか。
   B：どうも ①事故が あったようです。
   A：そうですね。 ②パトカーが 来て いますね。

   1）① エンジンが 故障です
   　　② 変な 音が します
   2）① 道を まちがえました
   　　② いつもの 景色と 違います

問題(もんだい)

1.　1）＿＿＿＿＿＿＿＿＿＿＿＿＿＿＿＿
　　2）＿＿＿＿＿＿＿＿＿＿＿＿＿＿＿＿

2.　1）（　　）　2）（　　）　3）（　　）　4）（　　）　5）（　　）

3.　例：　母の　手紙に　よると、うちの　犬が　（　死んだ　）そうです。

かわいいです	にぎやかです	男の　子です
生まれました	~~死にました~~	遅れます

1）　祇園祭を　見た　ことが　ありますか。
　　…いいえ、ありませんが、とても　（　　　　　）そうですね。
2）　さっき　田中さんから　電話が　ありました。
　　電車の　事故で　30分ぐらい　（　　　　　）そうです。
3）　木村さんに　赤ちゃんが　（　　　　　）そうです。
　　…それは　よかったですね。どちらですか。
　　（　　　　　）そうです。とても　（　　　　　）そうですよ。

4.　例：　外は　雪が　降って　いて、（寒いです→　寒　）そうです。
　　　　天気予報に　よると、あしたも　（寒いです→　寒い　）そうです。
1）　カタログで　見ると、新しい　掃除機は　（いいです
　　→　　　　　）そうですが、使った　人の　話に　よると、あまり
　　（便利じゃ　ありません→　　　　　）そうです。
2）　シュミットさんは　写真で　見ると、（怖い→　　　　　）そうですが、
　　話して　みると、とても　（優しい　人です→　　　　　）そうです。
3）　彼は　大きい　家が　あって、（幸せです→　　　　　）そうですが、
　　実は　仕事が　うまく　いかなくて、（困って　います
　　→　　　　　）そうです。

5.　例：　交差点に　人が　集まって　います。事故が　（　あった　）ようです。

47

います　　~~あります~~　　来ます　　古いです　　カレーです

1）　事務所の　電気が　消えて　います。だれも　（　　）ようです。
2）　玄関で　人の　声が　しました。だれか　（　　）ようです。
3）　いい　においが　します。きょうの　晩ごはんは　（　　）ようです。
4）　この　牛乳は　ちょっと　変な　味が　します。（　　）ようです。

6．例：　星が　きれいですね。あしたも　（晴れた、晴れだ、
　　　（晴れ））そうですね。
1）　せきも　出るし、頭も　痛いし、どうも　かぜを　ひいた（そうです、ようです、はずです）から、きょうは　うちに　います。
2）　手紙に　よると、小川さんは　（元気な、元気だ、元気に）そうです。
3）　林さんに　聞きましたが、息子さんが　（結婚しそうですね、結婚するそうですね、結婚する　はずですね）。おめでとう　ございます。
4）　時計が　けさから　動きません。（故障だ、故障の、故障）ようです。

7．

長生きする　ために

1996年の　日本人の　平均寿命は　女性が　83.59歳、男性が　77.01歳だそうです。　男性と　比べて　女性の　ほうが　6年以上も　長生きするのは　どうしてでしょうか。

ある　博士に　よると、女性は　年を　取っても、明るい　色の　服を　着るので、脳が　よく　働いて、ホルモンが　出るからだそうです。

また、ある　化粧品会社の　調べに　よると、女性は　化粧を　して　いる　ときと　して　いない　ときでは、ずいぶん　変わるそうです。化粧を　すると、声が　高く、大きく　なり、相手の　目を　よく　見て　話すように　なるそうです。　化粧は　人を　元気に　するのです。

男性も　長生きする　ために、明るい　色の　服を　着て、化粧を　してみたら、どうでしょう。

1）（　　）男性は　女性より　長生きします。
2）（　　）明るい　色の　服を　着ると、長生きできるようです。
3）（　　）女性は　化粧を　すると、元気に　なります。
4）（　　）この　人は　男性も　化粧を　した　ほうが　いいと　思って　います。

第 48 課

文型

1.　息子を　イギリスへ　留学させます。
2.　娘に　ピアノを　習わせます。

例文

1.　駅に　着いたら、お電話を　ください。
係の　者を　迎えに　行かせますから。
…わかりました。

2.　ハンス君は　外で　遊ぶのが　好きですね。
…ええ。　体に　いいし、友達も　できるし、できるだけ　外で
遊ばせて　います。

3.　もしもし、一郎君　お願いします。
…すみません。　今　おふろに　入って　います。
あとで　一郎に　かけさせます。

4.　ワット先生の　授業は　どうですか。
…厳しいですよ。　学生に　絶対に　日本語を　使わせませんから。
でも、言いたい　ことは　自由に　言わせます。

5.　すみません。　しばらく　ここに　車を　止めさせて
いただけませんか。　荷物を　降ろしますので。
…いいですよ。

会話

休ませて　いただけませんか

ミラー　　：　課長、今　お忙しいですか。
中村課長：　いいえ、どうぞ。
ミラー　　：　ちょっと　お願いが　あるんですが……。
中村課長：　何ですか。
ミラー　　：　実は　来月　アメリカに　いる　友達が　結婚するんです。
中村課長：　そうですか。
ミラー　　：　それで　ちょっと　国へ　帰らせて
　　　　　　　いただきたいんですが……。
中村課長：　来月の　いつですか。
ミラー　　：　7日から　10日間ほど　休ませて　いただけませんか。
　　　　　　　両親に　会うのも　久しぶりなので……。
中村課長：　えーと、来月は　20日に　営業会議が　ありますね。
　　　　　　　それまでに　帰れますか。
ミラー　　：　結婚式は　15日なので、終わったら、すぐ　帰って　来ます。
中村課長：　じゃ、かまいませんよ。　ゆっくり　楽しんで　来て
　　　　　　　ください。
ミラー　　：　ありがとう　ございます。

練習（れんしゅう） A

1.

		使役（しえき）
Ⅰ	か き ます	か か せます
	いそ ぎ ます	いそ が せます
	の み ます	の ま せます
	はこ び ます	はこ ば せます
	つく り ます	つく ら せます
	てつだ い ます	てつだ わ せます
	も ち ます	も た せます
	なお し ます	なお さ せます

		使役（しえき）
Ⅱ	たべ ます	たべ させます
	しらべ ます	しらべ させます
	い ます	い させます

		使役（しえき）
Ⅲ	き ます	こ させます
	し ます	さ せ ま す

2. 部長（ぶちょう）は ミラーさん を アメリカへ しゅっちょうさせました。
   かちょう 会議（かいぎ）に しゅっせきさせました。
   すずきさん 3日間（みっかかん） やすませました。
   むすこさん 旅行（りょこう）に いかせました。

3. わたしは こども に ぎゅうにゅう を のませます。
   むすめ がいこくご べんきょうさせます。
   こども すきな しごと させます。
   むすこ ほしい もの かわせます。

4. すみませんが、 あした やすませて いただけませんか。
   ここで ちょっと またせて
   コピーさせて

48

練習 B

1. 例：　わたし・娘　→　わたしは　娘を　買い物に　行かせました。
   1）　わたし・息子　→　　2）　課長・ミラーさん　→
   3）　僕・妹　→　　4）　父・祖母　→

例　買い物に　行く　｜　1）　立つ　｜　2）　出張する　｜　3）　泣く　｜　4）　入院する

2. 例：　娘は　スペイン語を　習いました・わたし
   →　わたしは　娘に　スペイン語を　習わせました。
   1）　学生は　テープを　聞きました・先生　→
   2）　ミラーさんは　ファイルを　持って　来ました・部長　→
   3）　息子は　料理を　作りました・わたし　→
   4）　妹は　部屋を　掃除しました・母　→

例　｜　1）　｜　2）　｜　3）　｜　4）

3. 例1：　体に　いいです・毎朝　子どもは　牛乳を　飲んで　います
   →　体に　いいので、毎朝　子どもに　牛乳を　飲ませて　います。
   例2：　息子は　来年　入学試験を　受けます・息子は　塾に　通って　います
   →　息子は　来年　入学試験を　受けるので、息子を　塾に　通わせて　います。
   1）　朝は　忙しいです・娘は　朝ごはんの　準備を　手伝って　います　→
   2）　犬を　飼って　います・息子は　犬の　世話を　して　います　→
   3）　体に　いいです・毎週　息子は　プールへ　行って　います　→
   4）　この　公園は　うちから　近いです・娘は　いつも　ここで　遊んで　います　→

4．　例：　この　アパートの　部屋を　見たいんですが……。
　　　　（案内します）　→　じゃ、係の　者に　案内させます。

1）　旅行の　スケジュールに　ついて　聞きたいんですが……。
　　（説明します）　→

2）　新しい　製品の　カタログを　送って　いただきたいんですが……。
　　（あした　届けます）　→

3）　エアコンの　調子が　おかしいんですが……。
　　（調べます）　→

4）　テレビを　直して　もらいたいんですが……。
　　（すぐ　修理に　行きます）　→

5．　例：　生徒は　自由に　意見を　言いました・先生
　　　　→　先生は　生徒に　自由に　意見を　言わせました。

1）　息子は　好きな　仕事を　選びます・わたし　→

2）　子どもたちは　自由に　絵を　かきます・先生　→

3）　兄は　やりたい　ことを　やりました・父　→

4）　妹は　外国へ　留学しませんでした・母　→

6．　例：　この　レポートを　読みたいです・ちょっと　コピーします
　　　　→　この　レポートを　読みたいので、ちょっと　コピーさせて
　　　　　いただけませんか。

1）　荷物を　降ろしたいです・ここに　しばらく　車を　止めます　→

2）　気分が　悪いです・ここで　ちょっと　休みます　→

3）　庭が　とても　きれいです・写真を　1枚　撮ります　→

4）　空港へ　両親を　迎えに　行きたいです・4時に　帰ります　→

練習(れんしゅう) C

1.　A：　お子(こ)さんに　何(なに)か　うちの　仕事(しごと)を　させて　いますか。
　　B：　ええ。　食事(しょくじ)の　準備(じゅんび)を　手伝(てつだ)わせて　います。
　　A：　そうですか。　いい　ことですね。

　　1）　食事(しょくじ)の　あとで、お皿(さら)を　洗(あら)います
　　2）　毎日(まいにち)　犬(いぬ)の　世話(せわ)を　します

2.　A：　お子(こ)さんが　①高校(こうこう)を　やめたいと　言(い)ったら、どう　しますか。
　　B：　そうですね。
　　　　ほんとうに　②勉強(べんきょう)が　嫌(いや)だったら、①やめさせます。
　　A：　そうですか。

　　1）　①　音楽(おんがく)を　やります
　　　　②　音楽(おんがく)が　好(す)きです
　　2）　①　留学(りゅうがく)します
　　　　②　勉強(べんきょう)したいです

3.　A：　ちょっと　お願(ねが)いが　あるんですが……。
　　B：　はい、何(なん)ですか。
　　A：　実(じつ)は　来週(らいしゅう)の　金曜日(きんようび)に　①友達(ともだち)の　結婚式(けっこんしき)が　あるので、
　　　　②早退(そうたい)させて　いただけませんか。
　　B：　わかりました。　いいですよ。

　　1）　①　国(くに)から　姉(あね)が　来(き)ます
　　　　②　午後(ごご)から　休(やす)みを　取(と)ります
　　2）　①　入管(にゅうかん)へ　再入国(さいにゅうこく)ビザを　取(と)りに　行(い)きます
　　　　②　早退(そうたい)します

問題(もんだい)

1.　1）＿＿＿＿＿＿＿＿＿＿＿＿＿＿＿＿＿＿＿＿

　　2）＿＿＿＿＿＿＿＿＿＿＿＿＿＿＿＿＿＿＿＿

　　3）＿＿＿＿＿＿＿＿＿＿＿＿＿＿＿＿＿＿＿＿

2.　1）（　　）　2）（　　）　3）（　　）　4）（　　）　5）（　　）

3.

例(れい)：泣(な)きます	泣(な)かせます	4）運(はこ)びます		8）　います	
1）急(いそ)ぎます		5）休(やす)みます		9）届(とど)けます	
2）話(はな)します		6）走(はし)ります		10）　します	
3）待(ま)ちます		7）洗(あら)います		11）　来(き)ます	

4.　例(れい)1：　お客(きゃく)さんが　来(く)るので、弟(おとうと)（を）　買(か)い物(もの)に　（行(い)きます→　行(い)かせます）。

　　例(れい)2：　荷物(にもつ)が　多(おお)いので、弟(おとうと)（に）　荷物(にもつ)を　（持(も)ちます→　持(も)たせます）。

　　1）　天気(てんき)が　いいので、子(こ)ども（　）　公園(こうえん)で　（遊(あそ)びます→　　　　　）。

　　2）　部屋(へや)が　汚(よご)れて　いるので、娘(むすめ)（　）　（掃除(そうじ)します→　　　　　）。

　　3）　忙(いそが)しいので、子(こ)ども（　）　店(みせ)の　仕事(しごと)を　（手伝(てつだ)います→　　　　　）。

　　4）　資料(しりょう)が　足(た)りないので、係(かかり)の　者(もの)（　）　（持(も)って　来(き)ます→　　　　）。

5.　例(れい)：　疲(つか)れたので、ちょっと　（　休(やす)ませて　）　いただけませんか。

帰(かえ)ります　　止(と)めます　　~~休(やす)みます~~　　使(つか)います　　置(お)きます

　　1）　ここに　荷物(にもつ)を　（　　　　　）　いただけませんか。

　　2）　夕方(ゆうがた)　病院(びょういん)へ　行(い)きたいんですが、4時(じ)ごろ　（　　　　　）　いただけませんか。

　　3）　会社(かいしゃ)に　連絡(れんらく)したいんですが、この　電話(でんわ)を　（　　　　　）　いただけませんか。

　　4）　すみませんが、ここに　車(くるま)を　（　　　　　）　いただけませんか。

6. 例： テレビの 調子が おかしいんですが……。

…わかりました。

すぐ 店の 者を （行かせます、行って もらいます）。

1） この 荷物を 全部 一人で 運んだんですか。

…いいえ、友達に （手伝わせました、手伝って もらいました）。

2） 道が すぐ わかりましたか。

…ええ、先生に 車で （連れて 来て いただきました、連れて 来られました）。

3） 難しい 曲なのに、上手に 弾けましたね。

…母に 毎日 （教えさせました、教えて もらいました）。

4） この 仕事、わたしに （やらせて いただけませんか、やって いただけませんか）。

…じゃ、お願いします。

7.

馬

昔から 馬は 大切な 動物でした。 人は 馬に 荷物や 人を 運ばせました。 「駅」と いう 字は もともとは 馬を 乗り換える 所と いう 意味でした。 馬は 人より ずっと 速く 走れるので、物や 情報が 速く、広く 伝えられました。

しかし、20世紀の 初めに 自動車が 発明されて、馬の 代わりを するように なりました。 自動車は 馬より 力と スピードが あります。 今 人は 楽しみの ために、馬を 競走させたり、サーカスで いろいろな 芸を させたり して います。 趣味で 馬に 乗る 人も いますが、車に 乗る 人の ほうが 多いです。 馬を 見る 機会は 少なく なりました。

でも、走る 馬の 美しい 姿は 今も 人の 心を とらえます。 これからも ずっと 馬は 人に とって 大切な 動物でしょう。

1） どうして 馬は 大切な 動物でしたか。…

2） 自動車が 馬の 代わりを するように なったのは なぜですか。…

3） 今 人は 馬に 何を させて いますか。…

第49課

文型

1. 課長は　もう　帰られました。
2. 社長は　もう　お帰りに　なりました。
3. 部長は　アメリカへ　出張なさいます。
4. しばらく　お待ち　ください。

例文

1. この　本は　読まれましたか。
   …ええ、もう　読みました。

2. すみません。　その　灰皿、お使いに　なりますか。
   …いいえ、使いません。　どうぞ。

3. よく　映画を　ご覧に　なりますか。
   …いいえ。　でも、たまに　テレビで　見ます。

4. 小川さんの　息子さんが　さくら大学に　合格したのを
   ご存じですか。
   …いいえ、ちっとも　知りませんでした。

5. 飲み物は　何を　召し上がりますか。
   遠慮なく　おっしゃって　ください。
   …じゃ、ビールを　お願いします。

6. 松本部長は　いらっしゃいますか。
   …ええ、こちらの　お部屋です。　どうぞ　お入り　ください。

会話

よろしく　お伝え　ください

先　生：　はい、ひまわり小学校です。

クララ：　おはよう　ございます。
　　　　　5年2組の　ハンス・シュミットの　母ですが、伊藤先生は
　　　　　いらっしゃいますか。

先　生：　まだなんですが……。

クララ：　では、伊藤先生に　伝えて　いただきたいんですが……。

先　生：　はい、何でしょうか。

クララ：　実は　ハンスが　ゆうべ　熱を　出しまして、けさも　まだ
　　　　　下がらないんです。

先　生：　それは　いけませんね。

クララ：　それで　きょうは　学校を　休ませますので、先生に　よろしく
　　　　　お伝え　ください。

先　生：　わかりました。　どうぞ　お大事に。

クララ：　失礼いたします。

練習(れんしゅう) A

1.

		尊敬(そんけい)
I	き き ます	き か れます
	いそ ぎ ます	いそ が れます
	よ み ます	よ ま れます
	よ び ます	よ ば れます
	かえ り ます	かえ ら れます
	あ い ます	あ わ れます
	ま ち ます	ま た れます
	はな し ます	はな さ れます

		尊敬(そんけい)
II	かけ ます	かけ られます
	で ます	で られます
	おき ます	おき られます
	おり ます	おり られます

		尊敬(そんけい)
III	き ます	こ られます
	し ます	さ れ ま す

2. 伊藤先生(いとうせんせい)は　さっき／あしたは　でかけられました。／こられません。

3. 社長(しゃちょう)は　もう　お　かえり／やすみ　に　なりました。

4. どうぞ　こちらに　お　かけ／はいり　ください。

5.

	尊敬語(そんけいご)
いきます きます います	いらっしゃいます
たべます のみます	めしあがります
いいます	おっしゃいます
しって　います	ごぞんじです
みます	ごらんに　なります
します	なさいます
くれます	くださいます

6. 社長(しゃちょう)は　もう　会議室(かいぎしつ)へ／ゴルフを　いらっしゃいました。／なさいます。

練習　B

1．　例：　社長は　もう　帰りました
　　　→　社長は　もう　帰られました。
　1）　部長は　来週　インドへ　出張します　→
　2）　課長は　もう　資料を　読みました　→
　3）　社長は　すばらしい　うちを　建てました　→
　4）　イーさんは　8時ごろ　研究室へ　来ます　→

2．　例：　きのうの　会議に　出ましたか（はい）
　　　→　きのうの　会議に　出られましたか。
　　　　……はい、出ました。
　1）　もう　花見に　行きましたか（はい）　→
　2）　どのくらい　夏休みを　取りますか（2週間）　→
　3）　いつ　大阪に　引っ越ししますか（来週の　日曜日）　→
　4）　お酒を　やめたんですか（はい）　→

3．　例：　先生は　新しい　パソコンを　買いました
　　　→　先生は　新しい　パソコンを　お買いに　なりました。
　1）　部長は　たばこを　吸いません　→
　2）　この　料理は　松本部長の　奥様が　作りました　→
　3）　この　本は　社長が　書きました　→
　4）　会議の　予定は　いつも　部長が　決めます　→

4．　例：　いつ　佐藤さんに　会いましたか（きのう）
　　　→　いつ　佐藤さんに　お会いに　なりましたか。
　　　　……きのう　会いました。
　1）　バス停の　場所が　わかりますか（いいえ）　→
　2）　疲れましたか（ええ、ちょっと）　→
　3）　日光では　どんな　所に　泊まりましたか（古い　旅館）　→
　4）　どちらで　お金を　換えますか（空港の　中の　銀行）　→

49

5.　例：　この　ボールペンを　使って　ください

→　この　ボールペンを　お使い　ください。

1）　新しい　住所を　知らせて　ください　→

2）　いい　週末を　過ごして　ください　→

3）　帰りに　寄って　ください　→

4）　部屋の　番号は　係の　者に　確かめて　ください　→

6.　例：　どのくらい　日本に　いらっしゃいますか。（3年）

→　3年　います。

1）　どちらへ　旅行に　いらっしゃいますか。（北海道）　→

2）　あの　映画は　もう　ご覧に　なりましたか。（はい）　→

3）　お酒は　召し上がりますか。（はい、たまに）　→

4）　お子さんの　お名前は　何と　おっしゃいますか。（花子）　→

7.　例：　田中さんは　もう　来ましたか

→　田中さんは　もう　いらっしゃいましたか。

1）　松本さんは　どちらに　いますか　→

2）　奥様は　何を　飲みますか　→

3）　社長は　来週の　忘年会の　ことを　知って　いますか　→

4）　だれが　あいさつを　しますか　→

8.　例：　田中さんは　もう　パーティー会場へ　いらっしゃいましたか。（はい）

→　はい、もう　いらっしゃったと　思います。

1）　課長は　お酒を　召し上がりますか。（いいえ）　→

2）　部長は　中国語を　お話しに　なりますか。（はい、たぶん）　→

3）　先生は　何時ごろ　来られますか。（2時ごろ）　→

4）　田中さんは　どちらに　いらっしゃいますか。（3階の　会議室）　→

練習(れんしゅう) C

1. A：　①会社(かいしゃ)を　やめられたそうですね。
   B：　ええ。
   A：　いつ　①おやめに　なったんですか。
   B：　②2か月(げつ)まえに　①やめました。

   1）　①　新(あたら)しい　仕事(しごと)を　始(はじ)めます
   　　　②　先月(せんげつ)
   2）　①　うちを　建(た)てます
   　　　②　去年(きょねん)

2. A：　お仕事(しごと)は　何(なに)を　なさって　いますか。
   B：　①会社員(かいしゃいん)です。　②貿易会社(ぼうえきがいしゃ)に　勤(つと)めて　います。

   1）　①　教師(きょうし)
   　　　②　大学(だいがく)で　文学(ぶんがく)を　教(おし)えます
   2）　①　エンジニア
   　　　②　自動車会社(じどうしゃがいしゃ)で　車(くるま)の
   　　　　　設計(せっけい)を　します

3. A：　この　病院(びょういん)は　初(はじ)めてですか。
   B：　はい。
   A：　じゃ、ここに　ご住所(じゅうしょ)と　お名前(なまえ)を
   　　　お書(か)き　ください。

   1）　保険証(ほけんしょう)を　出(だ)します
   2）　こちらで　しばらく　待(ま)ちます

問題

1. 1) ＿＿＿＿＿＿＿＿
   2) ＿＿＿＿＿＿＿＿
   3) ＿＿＿＿＿＿＿＿
   4) ＿＿＿＿＿＿＿＿
   5) ＿＿＿＿＿＿＿＿

2. 1)（　）　2)（　）　3)（　）　4)（　）　5)（　）

3. 例：社長は　何か　スポーツを　（ されます ）か。
…ゴルフを　します。
   1) 部長の　奥様も　ごいっしょに　ゴルフに　（　　　　）か。
…ええ、たまに　いっしょに　行きます。
   2) 先生は　来週の　国際会議で　何に　ついて　（　　　　）か。
…日本の　将来に　ついて　話します。
   3) 課長は　何時ごろ　（　　　　）か。
…3時ごろ　戻ります。
   4) おじい様は　何歳に　（　　　　）か。
…ことし　82歳に　なります。

4. 例：この　本を　書いたのは　だれですか。
…わたしの　研究室の　先生が　お書きに　なりました。
   1) 車を　呼んだのは　だれですか。
…部長が　＿＿＿＿＿＿＿＿。
   2) この　料理を　作ったのは　だれですか。
…部長の　奥様が　＿＿＿＿＿＿＿＿。
   3) この　傘を　忘れたのは　だれですか。
…伊藤先生が　＿＿＿＿＿＿＿＿。
   4) 新しい　製品の　名前を　決めたのは　だれですか。
…社長が　＿＿＿＿＿＿＿＿。

5. 例：先生は　今度の　旅行に　（ いらっしゃいます ）か。
…いいえ、わたしは　行きません。

49

1） 部長、けさの　テレビの　ニュースを　（　　　　　　　　）か。
…うん、見たよ。

2） 先生、飲み物は　何に　（　　　　　　　　）か。
…ビールに　します。

3） 課長、あの　人を　（　　　　　　　　）か。
…うん、知って　いるよ。

4） 先生の　ご両親は　どちらに　（　　　　　　　　）か。
…北海道に　います。

6． 例：　係の　者に　聞いて　来ますので、ちょっと　お待ち　ください。

1） 皆様　お待たせしました。どうぞ　会場に　＿＿＿＿＿＿＿＿。

2） お国へ　帰られたら、ご家族の　皆様に　よろしく　＿＿＿＿＿＿＿＿。

3） すみませんが、この　書類に　お名前と　ご住所を　＿＿＿＿＿＿＿＿。

4） どうぞ　そちらの　いすに　＿＿＿＿＿＿＿＿＿＿＿＿＿＿。

7．

子どもに　教えられた　こと

きょうの　講師は　大江健三郎さんです。　大江さんは　1935年、愛媛県でお生まれに　なりました。　東京大学を　卒業され、多くの　文学作品をお書きに　なりました。　1994年には　ノーベル文学賞を　受賞され、世界的に　有名な　作家で　いらっしゃいます。

ご家族は　奥様と　3人の　お子様が　いらっしゃいます。　ご長男の光さんは　障害を　お持ちですが、音楽が　お好きで、作曲を　していらっしゃいます。　大江さんは　光さんの　音楽活動のために、いろいろ　手伝って　いらっしゃいます。そして、光さんから　教えられた　ことが　たくさんあると　おっしゃって　います。　きょうは　「子どもに教えられた　こと」に　ついて　お話を　していただきます。

それでは　大江先生、どうぞ。

©読売新聞社／アマナイメージズ

1）（　　）大江さんの　名前は　世界中の　人に　知られて　います。

2）（　　）大江さんは　すばらしい　本を　書いて、ノーベル賞をもらいました。

3）（　　）光さんは　大学で　音楽を　教えて　います。

4）（　　）きょうの　お話は　「子どもと　文学」に　ついてです。

第(だい)50課(か)

文(ぶん)型(けい)

1. 今月(こんげつ)の　スケジュールを　お送(おく)りします。
2. 私(わたくし)は　アメリカから　参(まい)りました。

例(れい)文(ぶん)

1. 重(おも)そうですね。　お持(も)ちしましょうか。
   …すみません。　お願(ねが)いします。

2. ガイドさん、ここを　見(み)た　あとで、どこへ　行(い)くんですか。
   …江戸東京博物館(えどとうきょうはくぶつかん)へ　ご案内(あんない)します。

3. グプタさんの　到着(とうちゃく)は　2時(じ)ですね。　だれか　迎(むか)えに　行(い)くんですか。
   …はい、私(わたくし)が　参(まい)ります。

4. ご家族(かぞく)は　どちらに　いらっしゃいますか。
   …ニューヨークに　おります。

5. ちょっと　切符(きっぷ)を　拝見(はいけん)します。
   …はい。
   どうも　ありがとう　ございました。

6. ミラーさんが　スピーチコンテストで　優勝(ゆうしょう)したのを　ご存(ぞん)じですか。
   …はい、部長(ぶちょう)から　伺(うかが)いました。

7. こちらは　ミラーさんです。
   …初(はじ)めまして。　ミラーと　申(もう)します。
   　どうぞ　よろしく　お願(ねが)いいたします。

8. この　近(ちか)くに　電話(でんわ)が　ありますか。
   …はい、あちらの　階段(かいだん)の　横(よこ)に　ございます。

会　話

心から　感謝いたします

司会者：　優勝　おめでとう　ございます。
　　　　　すばらしい　スピーチでした。
ミラー：　ありがとう　ございます。
司会者：　緊張なさいましたか。
ミラー：　はい、とても　緊張いたしました。
司会者：　テレビで　放送される　ことは　ご存じでしたか。
ミラー：　はい。　ビデオに　撮って、アメリカの　両親にも
　　　　　見せたいと　思って　おります。
司会者：　賞金は　何に　お使いに　なりますか。
ミラー：　そうですね。　わたしは　動物が　好きで、子どもの　ときから
　　　　　アフリカへ　行くのが　夢でした。
司会者：　じゃ、アフリカへ　行かれますか。
ミラー：　はい。　アフリカの　自然の　中で　きりんや　象を　見たいと
　　　　　思います。
司会者：　子どもの　ころの　夢が　かなうんですね。
ミラー：　はい。　あのう、最後に　ひとこと　よろしいでしょうか。
司会者：　どうぞ。
ミラー：　この　スピーチ大会に　出る　ために、いろいろ　ご協力
　　　　　くださった　皆様に　心から　感謝いたします。

練習(れんしゅう) A

1. 私(わたくし)が

かさ	を	お	かし	します。
ぶちょう			おくり	
コーヒー			いれ	

2. 私(わたくし)が

きょうの　よてい	を	ご	せつめい	します。
しゅっぱつじかん			れんらく	
こうじょう			あんない	

3.

	謙譲語(けんじょうご)
いきます きます	まいります
います	おります
たべます のみます もらいます	いただきます
みます	はいけんします
いいます	もうします
します	いたします
ききます （うちへ）　いきます	うかがいます
しって　います しりません	ぞんじて　おります ぞんじません
あいます	おめに　かかります

4. きのう

先生(せんせい)の　お宅(たく)へ	うかがいました。
先生(せんせい)の　奥様(おくさま)に	おめに　かかりました。
結婚式(けっこんしき)の　写真(しゃしん)を	はいけんしました。

5. 私(わたくし)は

ミラーと	もうします。
アメリカから	まいりました。
ＩＭＣに	つとめて　おります。

練習　B

1.　例：　手伝います　→　お手伝いしましょうか。

　1）　お茶を　いれます　→
　2）　かばんを　持ちます　→
　3）　ボールペンを　貸します　→
　4）　駅まで　車で　送ります　→

2.　例：　会社の　中を　案内します　→　会社の　中を　ご案内します。

　1）　最初に　伊藤先生を　紹介します　→
　2）　お食事は　こちらで　用意します　→
　3）　予定が　変わった　場合は、すぐ　連絡します　→
　4）　クリスマスパーティーに　招待します　→

3.　例：　コーヒーを　いれます・こちらに　掛けます
　　　→　コーヒーを　おいれしますので、こちらに　お掛け　ください。

　1）　タクシーを　呼びます・しばらく　待ちます　→
　2）　写真を　撮ります・庭に　集まります　→
　3）　午後の　予定を　知らせます・こちらの　部屋に　入ります　→
　4）　封筒を　渡します・中を　確かめます　→

4.　例：　土曜日に　また　来ます　→　土曜日に　また　参ります。

　1）　シュミットさんの　お宅で　ドイツ料理を　食べました　→
　2）　さ来月　東京の　郊外に　引っ越しします　→
　3）　3時ごろ　そちらへ　行きます　→
　4）　貿易会社に　勤めて　います　→

5. 例： 山田さんは　いますか（今　出かけて　います）

☞ → 山田さんは　いらっしゃいますか。

……今　出かけて　おります。

1） グプタさんは　いつ　アメリカへ　出発しますか（あさって）　→

2） 中村課長は　いますか（今　韓国へ　出張して　います）　→

3） ミラーさんは　きょう　来ますか（きょうは　来ません）　→

4） 松本部長は　何時に　支店へ　行きましたか（11時ごろ）　→

6. 例： お茶を　飲みます　→　お茶を　いただいても　よろしいでしょうか。

1） この　アルバムを　見ます　→

2） きょう　3時ごろ　お宅へ　行きます　→

3） この　パンフレットを　もらいます　→

4） ちょっと　聞きます　→

7. 例： 日曜日　どちらへ　いらっしゃいますか。（展覧会）

→　展覧会に　参ります。

1） お名前は　何と　おっしゃいますか。（ミラー）　→

2） いつ　日本へ　いらっしゃいましたか。（3年まえ）　→

3） どのくらい　日本語を　勉強なさいましたか。（半年）　→

4） 日本の　首相の　名前を　ご存じですか。（はい）　→

練習（れんしゅう） C

1. A： ①重（おも）そうですね。
   ②お持（も）ちしましょうか。
   B： すみません。 お願（ねが）いします。

   1） ① 忙（いそが）しそうです
   　　② 手伝（てつだ）います
   2） ① 雨（あめ）です
   　　② 傘（かさ）を 貸（か）します

2. A： ①ベトナム料理（りょうり）を 召（め）し上（あ）がった ことが ありますか。
   B： いいえ、ありません。
   A： では、今度（こんど） 私（わたくし）が ②ご案内（あんない）します。

   1） ① 歌舞伎（かぶき）を 見（み）ます
   　　② 招待（しょうたい）します
   2） ① 松本部長（まつもとぶちょう）に 会（あ）います
   　　② 紹介（しょうかい）します

3. A： はい、IMCで ございます。
   B： 田中（たなか）と 申（もう）しますが、ミラーさんは いらっしゃいますか。
   A： ミラーは ただ今（いま） 出（で）かけて おりますが……。
   B： そうですか。 じゃ、また お電話（でんわ）します。

   1） 金曜日（きんようび）まで 休（やす）みを
   　　取（と）ります
   2） ただ今（いま） 席（せき）を 外（はず）します

問題

1.　1）＿＿＿＿＿＿＿＿＿＿＿＿＿＿＿＿＿＿＿＿
　　2）＿＿＿＿＿＿＿＿＿＿＿＿＿＿＿＿＿＿＿＿
　　3）＿＿＿＿＿＿＿＿＿＿＿＿＿＿＿＿＿＿＿＿
　　4）＿＿＿＿＿＿＿＿＿＿＿＿＿＿＿＿＿＿＿＿
　　5）＿＿＿＿＿＿＿＿＿＿＿＿＿＿＿＿＿＿＿＿

2.　1）（　　）　2）（　　）　3）（　　）　4）（　　）　5）（　　）

3.　例1：　お荷物、重そうですね。（　お持ちし　）ましょう。
　　例2：　あしたは　京都を　（　ご案内し　）ます。

~~案内します~~　送ります　紹介します　取り替えます　~~持ちます~~　連絡します

　　1）　（　　　　　）ます。こちらは　IMCの　マイク・ミラーさんです。
　　2）　サイズが　合わない　場合は、（　　　　　）ます。
　　3）　車で　空港まで　（　　　　　）ます。
　　4）　課長には　私が　パーティーの　時間と　場所を　（　　　　　）ます。

4.　例：　いつ　東京へ　いらっしゃいますか。
　　　　…来週　参ります。
　　1）　あしたは　お宅に　いらっしゃいますか。…はい、＿＿＿＿＿＿＿＿。
　　2）　シュミットさんが　ドイツへ　帰られたのを　ご存じですか。
　　　　…いいえ、＿＿＿＿＿＿＿＿＿＿＿＿＿＿＿＿。
　　3）　何を　召し上がりますか。…サンドイッチを　＿＿＿＿＿＿＿＿。
　　4）　来週は　どなたが　発表なさいますか。…私が　＿＿＿＿＿＿＿＿。

5.　A：　はい、IMC（例：　で　ございます）。
　　B：　田中と　（　　　　　　　）が、
　　　　ミラーさんは　（　　　　　　　）か。
　　A：　ミラーは　ただ今　出かけて　（　　　　　　　）が……。

B：　何時ごろ　（　　　　　　　）か。
A：　3時ごろ　戻りますが。
B：　じゃ、3時ごろ　もう　一度　（　　　　　　）。

6．

お礼の　手紙

拝啓
　今　ドイツは　いろいろな　花が　咲いて、美しい　季節です。
お元気で　いらっしゃいますか。
　日本では　ほんとうに　お世話に　なり、ありがとう　ございました。
日本での　2年は　とても　速く　過ぎました。　日本へ　行った　ばかりの
とき、わからない　ことや　慣れない　ことが　多くて、皆様に　ご迷惑を
おかけしましたが、ほんとうに　親切に　して　いただきました。
おかげさまで　楽しく　仕事が　できました。
　ミュンヘンでは　日本での　経験を　生かして、新しい　仕事に
チャレンジしたいと　思って　おります。
　こちらには　有名な　美術館や　古い　お城が　あります。　ぜひ　一度
いらっしゃって　ください。　森さんが　お好きな　ビールを　ご用意して
お待ちして　おります。
　では、また　お会いできる　日を　楽しみに　して　おります。　皆様にも
どうぞ　よろしく　お伝え　ください。

敬具

5月30日

カール・シュミット

森　正夫様

1）（　　）これは　シュミットさんが　日本で　書いた　手紙です。
2）（　　）シュミットさんは　2年まえに　ドイツへ　帰りました。
3）（　　）シュミットさんは　これから　ミュンヘンで　仕事を　します。
4）（　　）シュミットさんは　森さんに　また　会える　日を　楽しみに
　　　　して　います。

復習　J

1.　例：　火事（ の ）　場合は、すぐ　119番に　連絡して　ください。

　1）　いい　におい（　　　）　しますね。パン（　　　）　焼いて
　　　いるようです。

　2）　なくした　かぎ（　　　）　見つかりました。

　3）　天気予報（　　　）　よると、あしたは　雨が　降るそうです。

　4）　母は　妹（　　　）　塾（　　　）　通わせて　います。

　5）　わたしは　息子（　　　）　犬の　世話（　　　）　させました。

　6）　どうぞ　この　いす（　　　）　お掛け　ください。

2.　例：　会社に　（遅れます→　遅れる）　場合は、連絡して　ください。

　1）　小川さんの　お母さんは　ことし　（80歳です→　　　　　）　はずです。

　2）　彼は　あした　（暇です→　　　　　）　はずです。

　3）　妹は　母に　褒められて、（うれしいです→　　　　　）そうです。

　4）　部長の　奥さんは　（ダンスの　先生です→　　　　　）そうです。

　5）　電気が　消えて　いますね。林さんは　（留守です
　　　→　　　　　）ようです。

　6）　どうも　コピー機の　調子が　（悪いです→　　　　　）ようです。

　7）　この　洗濯機は　古くて、修理するのは　（無理です
　　　→　　　　　）ようです。

　8）　頭が　痛いので、（早退します→　　　　　）て　いただけませんか。

　9）　お名前を　お（呼びます→　　　　　）しますので、しばらく
　　　お（待ちます→　　　　　）　ください。

　10）　ご主人は　何時ごろ　お（帰ります→　　　　　）に　なりますか。

3.　例1：　故障の　原因は　わかりましたか。
　　　　…いいえ。今　（調べます→　調べて　いる　ところ）です。

　例2：　いつ　日本へ　いらっしゃいましたか。
　　　　…先月　（来ます→　来た　ばかり）です。

　1）　いい　アパートが　見つかりましたか。
　　　…いいえ。今　（探します→　　　　　）です。

　2）　ちょっと　お茶でも　飲みませんか。
　　　…いいですね。たった今　仕事が　（終わります→　　　　　）です。

　3）　お子さんは　いらっしゃいますか。
　　　…いいえ。2か月まえに、（結婚します→　　　　　）ですから。

　4）　試合は　もう　始まりましたか。

…いいえ。ちょうど　今から　（始まります→　　　　　）です。

5）　あの　方は　どなたですか。

…すみません。さっき　名前を　（聞きます→　　　　　）なのに、忘れて　しまいました。

6）　7時の　バスは　もう　出ましたか。

…ええ。たった今　（出ます→　　　　　）です。

4.　例1：　隣の　部屋に　だれか　（います→　いるようです）。

例2：　（おいしいです→　おいしそうです）ね。食べても　いいですか。

1）　この　かばんは　（いいです→　　　　　）ね。これに　しましょう。

2）　お金を　拾いました。きょうは　何か　いい　ことが　（あります→　　　　　）。

3）　かぎが　掛かって　いますね。ミラーさんは　どこか　（出かけました→　　　　　）。

4）　空が　暗く　なりました。雨が　（降ります→　　　　　）。

5）　パトカーが　止まって　います。（事故です→　　　　　）ね。

5.　例：　泥棒に　お金を　（とられました、とらせました）。

1）　ケーキなら、わたしに　（焼かせて、焼いて）　ください。

2）　荷物を　運ぶんですが、ちょっと　（手伝わせて、手伝って）いただけませんか。

3）　息子に　駅まで　車で　（送られました、送らせました）。

4）　警官に　道を　（教えられました、教えて　もらいました）。

6.　例：　私は　ことしの　4月に　日本へ　（参りました）。

~~参ります~~	ご覧に　なります	いらっしゃいます	
召し上がります	拝見します	いただきます	おります

1）　日曜日は　うちに　（　　　）から、お寄り　ください。

2）　もう　一杯　いかがですか。

…ありがとう　ございます。もう　たくさん　（　　　）。

3）　奥様は　お酒を　（　　　）か。…いいえ、飲みません。

4）　ワット先生は　どちらですか。…研究室に　（　　　）。

5）　きのう　社長の　お宅で　息子さんが　かかれた　絵を　（　　　）。

6）　部長、スピーチ大会の　ビデオを　（　　　）か。…ええ、見ましたよ。

復習（ふくしゅう）　K

1.　例（れい）1：　わたしは　刺身（さしみ）を　（ 食（た）べる ）　ことが　できます。
　　例（れい）2：　学生（がくせい）は　一生懸命（いっしょうけんめい）　（ 勉強（べんきょう）し ）なければ　なりません。

書（か）きます	食（た）べます	買（か）います	勉強（べんきょう）します	教（おし）えます	来（き）ます

1)　いい　バッグですね。
　　…ええ、誕生日（たんじょうび）に　母（はは）に　（　　　　）　もらったんです。
2)　楽（たの）しみに　して　いたのに、弟（おとうと）に　お菓子（かし）を　（　　　　）ました。
3)　いつか　もう　一度（いちど）　日本（にほん）へ　（　　　　）と　思（おも）って　います。
4)　さっき　作（つく）った　ケーキは　全部（ぜんぶ）　（　　　　）　しまいました。
5)　あそこに　「立入禁止（たちいりきんし）」と　（　　　　）　あります。
6)　漢字（かんじ）を　使（つか）って　作文（さくぶん）が　（　　　　）ように　なりました。
7)　部長（ぶちょう）の　奥様（おくさま）は　わたしに　日本料理（にほんりょうり）の　作（つく）り方（かた）を　（　　　　）
　　くださいました。
8)　何時（なんじ）ごろ　いらっしゃいましたか。
　　…たった今（いま）　（　　　　）　ところです。
9)　ちょっと　たばこを　（　　　　）　来（き）ます。
10)　この　ボールペンは　とても　（　　　　）やすいです。
11)　和食（わしょく）を　食（た）べた　ことが　ありませんから、一度（いちど）　（　　　　）
　　みたいです。
12)　日本語（にほんご）は　（　　　　）ば　（　　　　）ほど　おもしろく
　　なります。
13)　家（いえ）を　（　　　　）　ために、貯金（ちょきん）して　います。
14)　先生（せんせい）は　4時（じ）ごろ　ここへ　（　　　　）そうです。
15)　部長（ぶちょう）は　もう　パソコンを　お（　　　　）に　なりましたか。
16)　すみませんが、駅（えき）へ　行（い）く　道（みち）を　（　　　　）　いただけませんか。
17)　来週（らいしゅう）　試験（しけん）が　ありますから、よく　（　　　　）　おいて　ください。
18)　妹（いもうと）は　いつも　お菓子（かし）を　（　　　　）ながら　テレビを　見（み）ます。
19)　この　洗濯機（せんたくき）は　先週（せんしゅう）　（　　　　）　ばかりなのに、もう
　　故障（こしょう）して　しまいました。
20)　荷物（にもつ）が　多（おお）いので、娘（むすめ）を　車（くるま）で　迎（むか）えに　（　　　　）させます。

2．　例（れい）：　（暗（くら）いです→　暗（くら）く　）　なりましたから、電気（でんき）を　つけて　ください。

1）　わたしは　いつも　（走（はし）ります→　　　　）　あとで、ビールを　飲（の）みます。

2）　どうして　パーティーに　行（い）かないんですか。
…気分（きぶん）が　（悪（わる）いです→　　　　）んです。

3）　給料（きゅうりょう）も　（高（たか）いです→　　　　）し、仕事（しごと）も　（楽（らく）です→　　　　）し、ずっと　この　会社（かいしゃ）で　働（はたら）く　つもりです。

4）　国際会議（こくさいかいぎ）は　5月（がつ）の　（初（はじ）めごろです→　　　　）の　予定（よてい）です。

5）　イーさんは　新年会（しんねんかい）が　（楽（たの）しみです→　　　　）と　言（い）って　いました。

6）　空（そら）が　暗（くら）いですから、午後（ごご）は　（雨（あめ）です→　　　　）かも　しれません。

7）　野菜（やさい）は　（新（あたら）しいです→　　　　）ば　（新（あたら）しいです→　　　　）ほど　いいです。

8）　いちばん　（大切（たいせつ）です→　　　　）のは　きれいな　水（みず）と　空気（くうき）です。

9）　この　説明書（せつめいしょ）は　（複雑（ふくざつ）です→　　　　）、よく　わかりません。

10）　（おいしいです→　　　　）か　どうか、食（た）べて　みます。

11）　こちらの　かばんは　いかがですか。
…これは　書類（しょるい）を　入（い）れるのに　（いいです→　　　　）そうですね。

12）　この　薬（くすり）は　（苦（にが）いです→　　　　）、飲（の）めません。

13）　山田（やまだ）さんは　中国（ちゅうごく）に　住（す）んで　いましたから、中国語（ちゅうごくご）が　（上手（じょうず）です→　　　　）　はずです。

14）　運動会（うんどうかい）は　（中止（ちゅうし）です→　　　　）ようです。

15）　野菜（やさい）を　（細（こま）かい→　　　　）　切（き）って　ください。

16）　結婚（けっこん）したら、必（かなら）ず　彼女（かのじょ）を　（幸（しあわ）せ→　　　　）　します。

3．　例（れい）：　この　コーヒーは　濃（こ）すぎて、
- a．飲（の）みません。
- ⓑ．飲（の）めません。
- c．飲（の）んで　しまいました。

1）　今（いま）にも　袋（ふくろ）が
- a．破（やぶ）れるそうです。
- b．破（やぶ）れそうです。
- c．破（やぶ）れたようです。

2）　体（からだ）の　調子（ちょうし）が　悪（わる）いので、
きょうは　1日（にち）
- a．休（やす）んで　くださいませんか。
- b．休（やす）んで　いただけませんか。
- c．休（やす）ませて　いただけませんか。

K

3）　バリ島へ　{ a．行けば、 / b．行ったら、 / c．行くと、 }　ダンスが　見たいです。

4）　友達が　来るので、冷蔵庫に　ビールを　{ a．入って　います。 / b．入れて　おきます。 / c．入れて　しまいました。 }

5）　健康の　ために、できるだけ　{ a．無理を　するように　なりました。 / b．無理を　するように　して　います。 / c．無理を　しないように　して　います。 }

6）　子どもの　とき、よく　父に　{ a．しかりました。 / b．しかられました。 / c．しからせました。 }

7）　重そうですね。わたしが　{ a．お持ちに　なります。 / b．お持ち　ください。 / c．お持ちします。 }

8）　ミラーさんは　いらっしゃいますか。

…ミラーさんは　たった今　{ a．帰る　ところです。 / b．帰って　いる　ところです。 / c．帰った　ところです。 }

9）　きのう　速達で　送りましたから、きょう　{ a．届く　はずです。 / b．届くかも　しれません。 / c．届くそうです。 }

10）　きょうは　{ a．用事が　あって、 / b．用事が　あるので、 / c．用事が　あると、 }　お先に　失礼します。

11）　火事や　地震の　場合は、{ a．エレベーターを　使わないで　ください。 / b．エレベーターを　使いました。 / c．エレベーターを　使う　ところです。 }

4.　例：　荷物を　片づけてから、ちょっと　休憩しませんか。
　　→　荷物を　（　片づけた　）　あとで、ちょっと　休憩しませんか。

1）　母は　タイ語を　話す　ことが　できます。
　　→　母は　（　　　　　　　　　　　　　）。

2）　ボランティアの　皆さんに　親切に　して　いただきました。
　　→　ボランティアの　皆さんが　（　　　　　　　　　　　　　）。

3）　先生は　もう　出かけられました。
　　→　先生は　もう　お（　　　　　　　）に　なりました。

4）　電源を　切るのを　忘れないで　ください。
　　→　電源を　切るのを　（　　　　　　　）ように　して　ください。

5）　壁に　カレンダーが　掛かって　います。
　　→　壁に　カレンダーが　（　　　　　　　）　あります。

6）　東京で　仕事を　探す　つもりです。
　　→　東京で　仕事を　（　　　　　　　）と　思って　います。

7）　この　マークは　使っては　いけないと　いう　意味です。
　　→　この　マークは　（　　　　　　　）と　いう　意味です。

8）　日本語の　先生に　なりたいんですが、どう　したら　いいですか。
　　→　日本語の　先生に　なりたいんですが、どう　（　　　　　　　）
　　　いいですか。

9）　スピーチコンテストに　出る　ために、日本語を　練習して　います。
　　→　スピーチコンテストに　（　　　　　　　）ように、日本語を
　　　練習して　います。

5．　例：　3日（　以上、以下、（以内）　）に　入管へ　行って　ください。

1）　（　たった今、今にも、今から　）　電車が　出た　ところです。

2）　本を　読んだら、元の　所に　（　はっきり、よく、きちんと　）
並べて　おいて　ください。

3）　（　ほとんど、ちょうど、ぴったり　）　今から　課長に　書類を
届ける　ところです。

4）　（　どうも、もしかしたら、たぶん　）　部長は　最近　仕事が
うまく　いって　いないようです。

5）　ニュース（　によって、によると、について　）、中国で　大きな
地震が　起きたそうです。

6）　（　必ず、絶対に、全然　）　時間に　遅れないで　ください。

7）　このごろ　（　ずっと、ちゃんと、やっと　）　日本の　習慣に
慣れました。

8）　（　あと、もうすぐ、もっと　）　10分ほど　お待ち　ください。

9）　週末は　（　ちっとも、たいてい、急に　）　剣道の　練習に
通って　います。

10）　忘年会に　参加できるか　どうか、（　ずっと、かなり、できるだけ　）
早く　返事を　ください。

6．　例：　ミラーは　ただ今　席を　外して　おりますが……。
…（　では　）、また　あとで　お電話します。

それで　　ところで　　それなら　　~~では~~　　それまでに　　そのうえ

1）　水曜日は　ちょっと　都合が　悪いんですが……。
…（　　　　　）　木曜日に　来て　ください。

2）　わたしの　彼は　優しくて、まじめです。（　　　　　）　とても
ハンサムです。

3）　新しい　部長は　昔　イギリスに　留学して　いたそうですよ。
…ああ、（　　　　　）　英語が　上手なんですね。

4）　課長、書類の　コピーが　できました。どうぞ。
…ありがとう。（　　　　　）、今度の　マラソン大会の　申し込みは
もう　しましたか。

5）　さ来週　パソコン教室を　開きますので、（　　　　　）　この
説明書を　よく　読んで　おいて　ください。

7.　例(れい)：
- ⓐ.困(こま)ったなあ。
- b.うれしいなあ。
- c.よかった。

電子辞書(でんしじしょ)を　持(も)って　来(く)るのを　忘(わす)れました。

1）　お先(さき)に　失礼(しつれい)します。

…
- a.お先(さき)に　どうぞ。
- b.お疲(つか)れさまでした。
- c.これで　終(お)わります。

2）

ちょっと　お願(ねが)いが　あるんですが、
- a.ひとこと　よろしいでしょうか。
- b.何(なに)か　ご希望(きぼう)が　ありますか。
- c.今(いま)　いいでしょうか。

…何(なん)ですか。

3）　かばんが　見(み)つかりましたよ。

…
- a.楽(たの)しみに　して　います。
- b.それは　いいですね。
- c.ああ、よかった。

4）　最近(さいきん)　体(からだ)の　調子(ちょうし)が　よくないんです。

…
- a.その　ほうが　いいですよ。
- b.それは　いけませんね。
- c.それは　助(たす)かります。

5）　わたしが　する　とおりに、して　ください。

…はい。
- a.これで　いいですか。
- b.これが　いいですか。
- c.これも　いいですか。

6）
- a.失礼(しつれい)ですが、
- b.かまいませんが、
- c.申(もう)し訳(わけ)　ありませんが、

荷物(にもつ)を　預(あず)かって　おいて

いただけませんか。

…ええ、いいですよ。

7）
- a.どちら様(さま)でしょうか。
- b.何(なん)と　申(もう)しますか。
- c.どちらで　ございますか。

…タワポンと　申(もう)します。

8）　鳥(とり)の　世話(せわ)は　子(こ)どもに　させて　います。

…そうですか。
- a.どうぞ　お大事(だいじ)に。
- b.いい　ことですね。
- c.大変(たいへん)ですね。

助　詞

1.　〔は〕

A：　1）　わたしは　スポーツは　好きじゃ　ないんです。　(第26課)

　　2）　わたしの　学校には　アメリカ人の　先生が　います。　(27)

　　3）　この　自動販売機は　壊れて　います。　(29)

B：　1）　昔は　ここから　山が　よく　見えましたが、今は見えません。　(27)

　　2）　ひらがなは　書けますが　漢字は　書けません。　(27)

　　3）　天気が　いい　日には　富士山が　見えますが、雨の日には　見えません。　(27)

C：　パーティーの　準備に　10人は　必要です。　(42)

2.　〔も〕

A：　1）　弟の　学校にも　アメリカ人の　先生が　います。　(27)

　　2）　熱も　あるし、頭も　痛いし、きょうは　会社を休みます。　(28)

B：　ビデオを　修理するのに　3週間も　かかりました。　(42)

3.　〔の〕

A：　1）　旅行は　1週間の　予定です。　(31)

　　2）　テーブルは　説明書の　とおりに、組み立てて　ください。　(34)

　　3）　食事の　あとで、コーヒーを　飲みます。　(34)

　　4）　健康の　ために、野菜を　たくさん　食べます。　(42)

　　5）　故障の　場合は、この　番号に　電話して　ください。　(45)

　　6）　あの　スーパーは　あしたは　休みの　はずです。　(46)

　　7）　小川さんの　話は　ほんとうのようです。　(47)

　　8）　グプタさんの　到着は　2時です。　(50)

B：　娘が　生まれたのは　北海道の　小さな　町です。　(38)

4.　〔を〕

A：　大学を　卒業します。　(31)

B：　夜　11時を　過ぎたら、電話を　かけません。　(36)

C：　部長は　鈴木さんを　3日間　休ませました。　(48)

5.　〔が〕

A：　1）　バスが　来なかったんです。　(26)

2） 窓から 山が 見えます。 (27)

3） 近くに 大きい 橋が できました。 (27)

4） 電気が ついて います。 (29)

5） 壁に 絵が 掛けて あります。 (30)

6） わたしが やりますから、そのままに して おいて ください。 (30)

7） 新しい 星が 発見されました。 (37)

8） 東京の 人は 歩くのが 速いです。 (38)

9） 説明が 難しくて、わかりません。 (39)

10） 私が グプタさんを 迎えに 参ります。 (50)

B： わたしは 日本語の 新聞が 読めます。 (27)

C： ＮＨＫを 見学したいんですが、どう したら いいですか。 (26)

6．〔に〕

A： 1） 約束の 時間に 遅れました。 (26)

2） 運動会に 参加します。 (26)

3） さくら大学に 合格しました。 (32)

4） 忘れ物に 気が つきました。 (34)

5） あした 野球の 試合に 出ます。 (36)

6） 事故に あいました。 (45)

7） 会社に 勤めます。 (49)

B： 1） 向こうに 島が 見えます。 (35)

2） 電車に 傘を 忘れて しまいました。 (29)

3） 壁に 絵が 掛けて あります。 (30)

C： 1） あの 先生は 学生に 人気が あります。 (28)

2） わたしは コンピューターに 興味が あります。 (41)

D： 1） 自動車で 大学に 通って います。 (28)

2） 家族と 温泉に 行こうと 思って います。 (31)

3） 来月 福岡に 転勤します。 (31)

E： 1） 渡辺さんに 言って、ドアを 開けて もらいましょう。 (29)

2） 課長に あしたは 都合が 悪いと 伝えて いただけませんか。 (33)

F： わたしは 部長に 仕事を 頼まれました。 (37)

G： 木村さんに 赤ちゃんが 生まれたのを 知って いますか。 (38)

H： この お皿は 結婚の お祝いに 部長が くださいました。 (41)

I：　　　この　かばんは　軽くて、旅行に　便利です。　(42)
J：　　　次の　ミーティングは　さ来週に　します。　(44)
K：　　　わたしは　娘に　ピアノを　習わせます。　(48)

7.　〔で〕

A：　1）　駅まで　30分で　行けます。　(32)
　　2）　意見が　なければ、これで　終わりましょう。　(35)
　　3）　ズボンの　長さは　これで　よろしいでしょうか。　(44)
B：　1）　すみませんが、もう　少し　大きい　声で　言って　ください。　(27)
　　2）　現金で　持って　行かない　ほうが　いいです。　(32)
C：　　　この　服は　紙で　作られて　います。　(37)
D：　　　地震で　人が　大勢　死にました。　(39)

8.　〔と〕

1）　将来　自分の　会社を　作ろうと　思って　います。　(31)
2）　あそこに　「止まれ」と　書いて　あります。　(33)
3）　この　漢字は　「禁煙」と　読みます。　(33)
4）　鈴木さんに　会議室で　待って　いると　伝えて　ください。　(33)

9.　〔から〕

お酒は　米から　造られます。　(37)

10.　〔か〕

1）　男の　人は　結婚式に　黒か　紺の　スーツを　着て　行きます。　(34)
2）　台風9号は　東京へ　来るか　どうか、まだ　わかりません。　(40)
3）　JL107便は　何時に　到着するか、調べて　ください。　(40)

11.　〔しか〕

わたしの　会社は　1週間しか　休めません。　(27)

12.　〔とか〕

毎日　ダンスとか、水泳とか　して　います。　(36)

フォームの　使い方

1.　[ます形]

ます形ながら　～	音楽を　聞きながら　食事します。	(第28課)
ます形やすいです	この　パソコンは　使いやすいです。	(44)
ます形にくいです	この　コップは　丈夫で、割れにくいです。	(44)
おます形に　なります	社長は　もう　お帰りに　なりました。	(49)
おます形　ください	しばらく　お待ち　ください。	(49)
おます形します	今月の　スケジュールを　お送りします。	(50)

2.　[て形]

て形　います	毎朝　ジョギングを　して　います。	(28)
	窓が　閉まって　います。	(29)
て形　いません	レポートは　まだ　書いて　いません。	(31)
て形　しまいます	電車に　傘を　忘れて　しまいました。	(29)
て形　あります	交番に　町の　地図が　はって　あります。	(30)
て形　おきます	授業の　まえに、予習して　おきます。	(30)
て形　みます	新しい　靴を　はいて　みます。	(40)
て形　いただきます	わたしは　先生に　手紙の　まちがいを 直して　いただきました。	(41)
て形　くださいます	部長の　奥さんは　わたしに　お茶を 教えて　くださいました。	(41)
て形　やります	わたしは　息子に　紙飛行機を　作って やりました。	(41)
て形　いただけませんか	いい　先生を　紹介して いただけませんか。	(26)
て形　きます	ちょっと　切符を　買って　来ます。	(43)

3.　[ない形]

ない形ないで、～	バスに　乗らないで、駅まで　歩きます。	(34)
ない形なく　なります	海の　水が　汚れて、この　近くでは 泳げなく　なりました。	(36)

4.　[辞書形]

辞書形な	電車の　中で　騒ぐな。	(33)
辞書形ように　なります	やっと　自転車に　乗れるように なりました。	(36)

辞書形のは　～　　絵を　かくのは　楽しいです。(38)
辞書形のが　～　　わたしは　星を　見るのが　好きです。(38)
辞書形のを　～　　財布を　持って　来るのを　忘れました。(38)
辞書形　ために、～　　自分の　店を　持つ　ために、貯金して　います。(42)
辞書形のに　～　　この　はさみは　花を　切るのに　使います。(42)

5.　［た形］
た形　あとで、～　　ごはんを　食べた　あとで、歯を　磨きます。(34)
た形　ばかりです　　先月　会社に　入った　ばかりです。(46)

6.　［意向形］
意向形と　おもって　います　　将来　自分の　会社を　作ろうと　思って　います。(31)

7.　辞書形 / ない形ない ｝ つもりです
来月　車を　買う　つもりです。(31)
ことしは　国へ　帰らない　つもりです。(31)

辞書形 / ない形ない ｝ ように、～
早く　届くように、速達で　出します。(36)
電話番号を　忘れないように、メモして　おきます。(36)

辞書形 / ない形ない ｝ ように　します
毎日　日記を　書くように　して　います。(36)
時間に　遅れないように　して　ください。(36)

8.　辞書形 / て形　いる / た形 ｝ ところです
ちょうど　今から　試合が　始まる　ところです。(46)
今　原因を　調べて　いる　ところです。(46)
たった今　バスが　出た　ところです。(46)

9.　た形 / ない形ない ｝ ほうが　いいです
毎日　運動した　ほうが　いいです。(32)
きょうは　おふろに　入らない　ほうが　いいです。(32)

10. て形 ～ ない形ないで ～	傘を　持って　出かけます。	(34)
	切手を　はらないで　手紙を　出して しまいました。	(34)
11. ［普通形］		
普通形し、～	地下鉄は　速いし、安いし、地下鉄で 行きましょう。	(28)
普通形と　いって　いました	ミラーさんは　来週　大阪へ 出張すると　言って　いました。	(33)
普通形そうです	天気予報に　よると、あしたは　寒く なるそうです。	(47)
動詞普通形のを　～	駅前に　大きな　ホテルが　できたのを 知って　いますか。	(38)
動詞／い形容詞　普通形　でしょう	あしたは　雪が　降るでしょう。	(32)
	あしたは　寒いでしょう。	(32)
な形容詞／名詞　普通形　～だ　でしょう	今夜は　星が　きれいでしょう。	(32)
	あしたは　いい　天気でしょう。	(32)
動詞／い形容詞　普通形　かも　しれません	彼は　会社を　やめるかも　しれません。	(32)
	彼は　あした　忙しいかも しれません。	(32)
な形容詞／名詞　普通形　～だ　かも　しれません	彼は　来週　暇かも　しれません。	(32)
	彼は　病気かも　しれません。	(32)
動詞／い形容詞　普通形　か、～	会議は　いつ　終わるか、わかりません。	(40)
	プレゼントは　何が　いいか、考えて ください。	(40)
な形容詞／名詞　普通形　～だ　か、～	非常口は　どこか、確かめて おきます。	(40)

動詞
い形容詞 } 普通形
な形容詞 } 普通形
名詞 } ~~だ } か　どうか、～

忘年会に　出席できるか　どうか、返事を　ください。(40)

都合が　いいか　どうか、電話で　聞いて　みます。(40)

その　話は　ほんとうか　どうか、わかりません。(40)

動詞
い形容詞 } 普通形
な形容詞 } 普通形
名詞 } ~~だ~~→～な } んです

どうして　遅れたんですか。(26)

体の　調子が　悪かったんです。(26)

エアコンが　故障なんです。(26)

動詞
い形容詞 } 普通形
な形容詞 } 普通形
名詞 } ~~だ~~→～な } ので、～

用事が　あるので、お先に　失礼します。(39)

頭が　痛いので、今晩は　早く寝ます。(39)

きょうは　誕生日なので、ワインを買いました。(39)

動詞
い形容詞 } 普通形
な形容詞 } 普通形
名詞 } ~~だ~~→～な } のに、～

約束を　したのに、彼女は来ませんでした。(45)

仕事は　忙しいのに、給料は安いです。(45)

夫は　料理が　上手なのに、あまり作って　くれません。(45)

動詞
い形容詞 } 普通形
な形容詞 } 普通形
名詞 } ~~だ~~→～な } のは　～

日本へ　来たのは　去年の　３月です。(38)

今　欲しいのは　小沢征爾のコンサートの　ＣＤです。(38)

いちばん　大切なのは　家族の健康です。(38)

動詞
い形容詞 } 普通形
な形容詞　普通形
～~~だ~~→～な
名詞　普通形
～~~だ~~→～の } ようです

隣の　部屋に　だれか　いるようです。(47)

部長は　ゴルフが　嫌いなようです。(47)

どうも　事故のようです。(47)

12\. 動詞ます形 / い形容詞（〜い） / な形容詞［な］ ｝そうです

- 今にも　雨が　降りそうです。(43)
- この　ケーキは　おいしそうです。(43)
- あの　人は　まじめそうです。(43)

動詞ます形 / い形容詞（〜い） / な形容詞［な］ ｝すぎます

- ゆうべ　お酒を　飲みすぎました。(44)
- この　問題は　難しすぎます。(44)
- この　方法は　複雑すぎます。(44)

13\. 動詞｛て形、/ ない形なくて、｝ / い形容詞　〜くて、 / な形容詞で、 / 名詞で、 ｝〜

- ニュースを　聞いて、びっくりしました。(39)
- 家族に　会えなくて、寂しいです。(39)
- 土曜日は　都合が　悪くて、行けません。(39)
- 話が　複雑で、よく　わかりません。(39)

14\. 動詞辞書形 / 名詞の ｝よていです

- 飛行機は　9時に　着く　予定です。(31)
- 会議は　水曜日の　予定です。(31)

15\. 動詞｛辞書形 / た形｝ / 名詞の ｝とおりに、〜

- わたしが　今から　言う　とおりに、書いて　ください。(34)
- 見た　とおりに、話して　ください。(34)
- 番号の　とおりに、ボタンを押して　ください。(34)

16\. 動詞｛辞書形 / た形 / ない形ない｝ / い形容詞 / な形容詞な / 名詞の ｝ばあいは、〜

- カードを　なくした　場合は、すぐカード会社に　連絡して　ください。(45)
- コピー機の　調子が　悪い　場合は、この　番号に　電話して　ください。(45)
- 領収書が　必要な　場合は、言って　ください。(45)

17\. 動詞｛辞書形 / ない形ない｝ / い形容詞 / な形容詞な / 名詞の ｝はずです

- 荷物は　あした　着く　はずです。(46)
- 課長は　ドイツ語が　上手なはずです。(46)
- あの　スーパーは　あしたは　休みのはずです。(46)

動詞、形容詞の　いろいろな　使い方

1．たかい（い形容詞）→たかく（副詞）

はやい	きょうは　子どもの　誕生日ですから、早く帰ります。	（第9課）
はやい	速く　泳げるように、毎日　練習して　います。	(36)
くわしい	操作の　し方を　詳しく　説明します。	(44)
おおきい	字を　もっと　大きく　書いて　ください。	(44)

2．げんき［な］（な形容詞）→げんきに（副詞）

じょうず［な］	お茶が　上手に　たてられるように　なりたいです。	(36)
たいせつ［な］	水を　大切に　使いましょう。	(44)
きれい［な］	机の　上を　きれいに　片づけて　ください。	(44)
ていねい［な］	部長には　もっと　丁寧に　話した　ほうが　いいです。	(44)
かんたん［な］	予定に　ついて　簡単に　説明します。	(44)

3．おおきい（い形容詞）　→おおきく　なります。
げんき［な］（な形容詞）　→げんきに　なります。
かしゅ（名詞）　→かしゅに　なります。

あつい	これから　だんだん　暑く　なります。	(19)
じょうず［な］	日本語が　上手に　なりましたね。	(19)
いしゃ	医者に　なりたいです。	(19)
10じ	10時に　なったら、出かけましょう。	(25)

4．おおきい（い形容詞）　→おおきく　します。
きれい［な］（な形容詞）　→きれいに　します。
はんぶん（名詞）　→はんぶんに　します。

みじかい	ズボンを　少し　短く　します。	(44)
ちいさい	この　図を　小さく　して　ください。	(44)
しずか［な］	もう　夜　遅いですから、静かに　して　いただけませんか。	(44)

2ばい	水の　量を　2倍に　します。	(44)
ショート	髪を　ショートに　したいです。	(44)

5．おおきい（い形容詞）→おおきさ（名詞）

ながい	あの　橋の　長さは　3,911メートルです。	(40)
たかい	背の　高さを　測ります。	(40)
おもい	この　荷物の　重さは　何キロですか。	(40)

6．やすみます（動詞）→やすみ（名詞）

おわります	8月の　終わりに　富士山に　登ります。	(20)
はなします	きのうの　先生の　話は　おもしろかったです。	(21)
かえります	帰りに　お寄り　ください。	(49)
たのしみます	夏休みの　旅行が　楽しみです。	(35)
もうしこみます	スピーチ大会の　申し込みは　あしたまでです。	(40)

7．はな（名詞）を　みます（動詞）→［お］はなみ（名詞）

やまに　のぼります	山登りに　行きたいんですが、どこか　いい　所　ありませんか。	(35)
かんを　きります	缶切りは　缶を　切るのに　使います。	(42)

8．かきます（動詞）→かきかた（名詞）

よみます	この　漢字の　読み方を　教えて　ください。	(14)
つかいます	はしの　使い方を　教えて　ください。	(16)
はいります	山田さんが　おふろの　入り方を　説明して　くれました。	(24)
します	ビデオの　操作の　し方を　説明します。	(44)

自動詞と　他動詞

他動詞 自動詞	課	て形	例文
きります	7	きって	紙を　切って　ください。
きれます	43	きれて	ひもが　切れそうです。
あけます	14	あけて	ドアを　開けます。
あきます	29	あいて	ドアが　開きます。
しめます	14	しめて	ドアを　閉めて　ください。
しまります	29	しまって	ドアが　閉まって　います。
つけます	14	つけて	電気を　つけました。
つきます	29	ついて	電気が　つきません。
けします	14	けして	電気を　消して　ください。
きえます	29	きえて	電気が　消えて　います。
とめます	14	とめて	ここに　車を　止めても　いいですか。
とまります	29	とまって	うちの　前に　車が　止まって　います。
はじめます	14	はじめて	会議を　始めましょう。
はじまります	31	はじまって	会議は　もう　始まりましたか。
うります	15	うって	スーパーで　雑誌を　売って　います。
うれます	28	うれて	この　雑誌は　よく　売れて　います。
いれます	16	いれて	冷蔵庫に　ビールを　入れて　ください。
はいります	13	はいって	冷蔵庫に　ビールが　入って　います。
だします	16	だして	ポケットから　切符を　出します。
でます	23	でて	この　ボタンを　押すと、切符が　出ます。
なくします	17	なくして	かぎを　なくして　しまいました。
なくなります	43	なくなって	かぎが　なくなって　しまいました。
あつめます	18	あつめて	切手を　たくさん　集めました。
あつまります	47	あつまって	切手が　たくさん　集まりました。
なおします	20	なおして	自転車を　直して　もらいます。
なおります	32	なおって	病気が　治りました。
かえます	23	かえて	パーティーの　時間を　変えます。
かわります	35	かわって	パーティーの　時間が　変わりました。
きを　つけます	23	きを　つけて	まちがいが　ないように、気を　つけます。
きが　つきます	34	きが　ついて	あとで　まちがいに　気が　つきました。

他動詞 自動詞	課	て形	例文
おとします	29	おとして	財布を 落としました。
おちます	43	おちて	財布が 落ちて います。
とどけます	48	とどけて	部長に 書類を 届けます。
とどきます	36	とどいて	書類が 届きました。
ならべます	30	ならべて	いすを 並べます。
ならびます	39	ならんで	人が 並んで います。
かたづけます	30	かたづけて	荷物を 片づけます。
かたづきます	26	かたづいて	荷物が 片づきました。
もどします	30	もどして	はさみを 引き出しに 戻して おきます。
もどります	32	もどって	部長は すぐ 戻ります。
みつけます	31	みつけて	仕事を 見つけるのは 大変です。
みつかります	34	みつかって	なかなか 仕事が 見つかりません。
つづけます	31	つづけて	会議を 続けます。
つづきます	32	つづいて	まだ 会議が 続いて います。
あげます	33	あげて	わかったら、手を 上げて ください。
あがります	43	あがって	熱が 上がります。
さげます	33	さげて	値段を 下げて、売ります。
さがります	43	さがって	値段が 下がりました。
おります	34	おって	わたしが 木の 枝を 折りました。
おれます	29	おれて	木の 枝が 折れて います。
こわします	37	こわして	子どもが 時計を 壊しました。
こわれます	29	こわれて	あの 時計は 壊れて います。
よごします	37	よごして	子どもが 服を 汚しました。
よごれます	29	よごれて	服が 汚れて います。
おこします	37	おこして	子どもを 起こします。
おきます	4	おきて	子どもは 7時に 起きます。
かけます	38	かけて	かぎを 掛けます。
かかります	29	かかって	かぎが 掛かって います。
やきます	46	やいて	パンを 焼きます。
やけます	39	やけて	パンが 焼けました。

副詞、副詞的表現

1．さっき	さっき　お宅から　電話が　ありました。	(34)
たったいま	たった今　起きた　ところです。	(46)
いつか	いつか　自分で　家を　建てたいです。	(27)
このごろ	渡辺さんは　このごろ　早く　帰ります。	(36)
しばらく	眠い　とき、車を　止めて、しばらく　寝ます。	(28)
ずっと	ずっと　日本に　住む　つもりです。	(31)
いつでも	いつでも　ＮＨＫを　見学する　ことが　できます。	(26)
たいてい	休みの　日は　たいてい　絵を　かいて　います。	(28)
たまに	映画は　あまり　見ませんが、たまに　テレビで　古い　映画を　見ます。	(49)
2．さきに	先に　お菓子を　食べて、それから　お茶を　飲みます。	(34)
さいしょに	最初に　田中先生を　ご紹介します。	(50)
さいごに	最後に　部屋を　出る　人は　電気を　消して　ください。	(50)
3．きちんと	本が　きちんと　並べて　あります。	(38)
ちゃんと	ちゃんと　薬を　飲んで　いるのに、かぜが　治りません。	(45)
ぴったり	この　靴は　足に　ぴったり　合います。	(43)
はっきり	はっきり　聞こえませんから、大きい　声で　話して　ください。	(27)
いっしょうけんめい	自分の　店を　持つ　ために、一生懸命　働きます。	(42)
じゆうに	先生は　生徒に　自由に　意見を　言わせました。	(48)
ちょくせつ	この　話は　先生から　直接　聞きました。	(26)
きゅうに	彼は　急に　用事が　できて、来られないそうです。	(45)
4．ずいぶん	ずいぶん　にぎやかですね。	(26)
かなり	テレビの　ニュースは　かなり　わかります。	(36)

もっと	もっと　野菜を　食べるように　して　ください。	(36)
できるだけ	甘い　物は　できるだけ　食べないように　して います。	(36)
ちっとも	小川さんの　息子さんが　さくら大学に 合格したのを　ちっとも　知りませんでした。	(49)
ほとんど	彼が　書いた　本は　ほとんど　読みました。	(27)
	きのうの　試験は　ほとんど　できませんでした。	(27)
あんなに	あんなに　勉強して　いましたから、きっと 合格するでしょう。	(32)

5．かならず	会社を　休む　ときは、必ず　連絡するように して　ください。	(36)
ぜったいに	絶対に　遅れないように　して　ください。	(36)
たしか	彼の　誕生日は　確か　2月15日です。	(29)
もしかしたら	もしかしたら　3月に　卒業できないかも しれません。	(32)
いまにも	今にも　雨が　降りそうです。	(43)
ちょうど	ちょうど　今から　試合が　始まる　ところです。	(46)
どうも	どうも　事故が　あったようです。	(47)
まだ	会議室は　まだ　使って　います。	(30)
もう	だめだ。もう　走れない。	(33)
やっと	やっと　自転車に　乗れるように　なりました。	(36)

接続の　いろいろ

1．～ながら	写真を　見せながら　説明します。	(第28課)
～し	値段も　安いし、おいしいし、いつも　この　店で　食べて　います。	(28)
それに	ワット先生は　熱心だし、まじめだし、それに　経験も　あります。	(28)
そのうえ	彼の　年齢も、収入も、趣味も　わたしの　希望に　ぴったりなんです。そのうえ　名前も　同じなんですよ。	(43)
2．それで	ここは　店も　きれいだし、食事も　できるし……。…それで　人が　多いんですね。	(28)
～て	ニュースを　聞いて、びっくりしました。	(39)
～くて	土曜日は　都合が　悪くて、行けないんです。	(39)
～で	あの　映画は　話が　複雑で、よく　わかりませんでした。	(39)
	事故で、バスが　遅れたんです。	(39)
～ので	用事が　あるので、お先に　失礼します。	(39)
	きょうは　誕生日なので、ワインを　買いました。	(39)
3．～のに	約束を　したのに、彼女は　来ませんでした。	(45)
	休みなのに、仕事を　しなければ　なりません。	(45)
4．～ば	春に　なれば、桜が　咲きます。	(35)
	天気が　よければ、向こうに　島が　見えます。	(35)
～なら	温泉なら、白馬が　いいですよ。	(35)
～ばあいは	会社を　休む　場合は、電話で　連絡して　ください。	(45)
	切符を　なくした　場合は、駅員に　言って　ください。	(45)
	領収書が　必要な　場合は、ここに　連絡して　ください。	(45)
5．では	では、そろそろ　失礼します。	(45)

6．ところで　　ハンス君は　いい　成績ですよ。
…そうですか。ありがとう　ございます。
ところで、もうすぐ　運動会ですが、お父さんも
いらっしゃいますか。　(40)

索引（さくいん）

— か・が —

— き・ぎ —

― く・ぐ ―

― け・げ ―

― こ・ご ―

― す・ず ―

― せ・ぜ ―

― そ・ぞ ―

－　た・だ　－

－　ち　－

― つ ―

― て・で ―

― と・ど ―

— は・ば・ぱ —

— ひ・び・ぴ —

— ふ・ぶ・ぷ —

— む —

— め —

— も —

— や —

— ゆ —

— よ —

執筆協力

田中よね

牧野昭子

重川明美

御子神慶子

古賀千世子

沢田幸子

新矢麻紀子

イラストレーション

佐藤夏枝

向井直子

みんなの日本語
初級Ⅱ　本冊

1998年6月25日　初版第1刷発行
2010年2月26日　第17刷発行

編著者　株式会社　スリーエーネットワーク
発行者　小林卓爾
発　行　株式会社　スリーエーネットワーク
〒101-0064 東京都千代田区猿楽町2-6-3(松栄ビル)
電話　営業　03(3292)5751
　　　編集　03(3292)6521
http://www.3anet.co.jp/

印　刷　倉敷印刷株式会社

ISBN978-4-88319-103-1　C0081

日本の　時代

世紀	時代
1	
2	弥生時代
3	
4	
5	
6	大和時代
7	
8	奈良時代（710 〜 784） 長岡京時代（784 〜 794）
9	
10	平安時代（794 〜 1192）

登呂遺跡（昔の　うち）

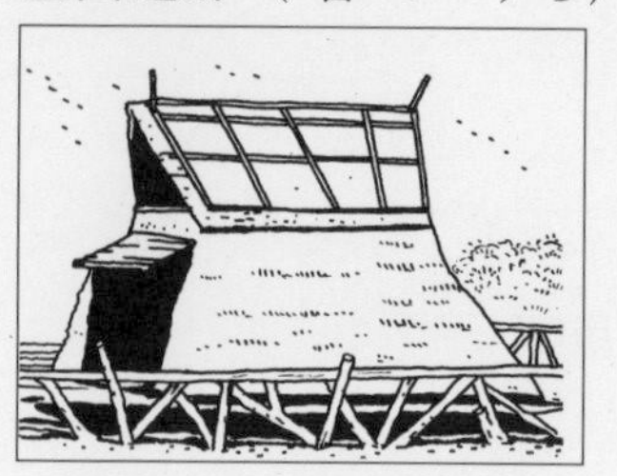

埴輪（人形）

仁徳天皇陵（天皇の　お墓）

©オリオン／アマナイメージズ

聖徳太子

法隆寺

© TAKESHI MIZUKOSHI
PPS

東大寺大仏

写真提供・奈良市観光協会
撮影・矢野建彦

京都

©オリオン／
アマナイメージズ

みんなの日本語
初級Ⅱ　本冊

—問題のスクリプト・答え—

—復習の答え—

スリーエーネットワーク

目(もく)次(じ)

ページ

第 26 課

1. 1) よく勉強しますね。勉強が好きなんですか。
   …例： はい、好きです。
   2) 日本語が、上手ですね。だれに習ったんですか。
   …例： 一人で勉強しました。
   3) どうして日本語を勉強しているんですか。
   …例： 日本の大学に入りたいんです。
   4) あなたの国を旅行したいんですが、どこを見たらいいですか。
   …例： 万里の長城がいいと思います。
   5) あなたの国でお土産を買いたいんですが、いいお土産を教えていただけませんか。
   …例： お菓子がいいと思います。

2. 1) 女： ミラーさん、お帰りなさい。旅行はどうでしたか。
   男： 楽しかったです。
   女： おもしろい帽子ですね。メキシコで買ったんですか。
   男： ええ。メキシコのダンスを見に行ったとき、買いました。
   ★ ミラーさんはメキシコで帽子を買いました。 （ ○ ）

   2) 男： 今晩カラオケに行きませんか。
   女： すみません。行きたいんですが、今晩はちょっと……。
   ★ 女の人は今晩カラオケに行きます。 （ × ）

   3) 女1： すみません。あしたうちでパーティーをするんですが、ちょっと手伝っていただけませんか。
   女2： ええ、いいですよ。何時ごろ行ったらいいですか。
   女1： 6時から始めますから、4時ごろお願いします。
   女2： わかりました。
   ★ あした4時からパーティーがあります。 （ × ）

   4) 女： 歌舞伎のチケットを買いたいんですが、どこで買ったらいいですか。

男：　プレイガイドで売っていると思いますよ。
女：　プレイガイドはどこにありますか。
男：　東京デパートの1階にあります。
★　東京デパートの1階で歌舞伎のチケットを買うことができます。　（　○　）

5）　男：　きのうのお花見、どうだった？
女：　楽しかったわよ。
どうして来なかったの？
男：　ちょっと用事があったんだ。
女：　そう。
★　女の人はきのうのお花見に行きませんでした。　（　×　）

3.　1）　あったんです　2）　ないんです　3）　生まれたんです
4）　好きなんです

4.　1）　どこで買ったんですか　2）　何歳になったんですか
3）　いつ帰るんですか　4）　何人ぐらい来るんですか

5.　1）　例：　嫌いなんです
2）　例：　目にごみが入ったんです
3）　例：　時間がないんです
4）　例：　あまり好きじゃないんです（下手なんです）

6.　1）　手伝っていただけませんか　2）　教えていただけませんか
3）　申し込んだらいいですか　4）　したらいいですか

7.　1）　○　2）　×

第 27 課

1.

1） 人に初めて会ったとき、すぐ名前が覚えられますか。
…例： いいえ、なかなか覚えられません。

2） ひらがなや漢字が読めますか。
…例： ひらがなとかたかなは読めますが、漢字は読めません。

3） あなたの部屋の窓から山が見えますか。
…例： いいえ、見えません。

4） あなたの町でいちばん高い建物は何ですか。いつできましたか。
…例： 市役所です。130年まえにできました。

5） 日本には季節が4つあります。あなたの国にも季節が4つありますか。
…例： いいえ、わたしの国には季節が2つしかありません。

2.

1）
男： あのう、このカード、使えますか。
女： すみません。現金でお願いします。
男： そうですか。じゃ、これで。
女： はい、600円のお釣りです。ありがとうございました。
★ この店はカードが使えません。 （ ○ ）

2）
男： どんな外国語を勉強しましたか。
女： 英語と中国語を勉強しました。
でも、英語は話せますが、中国語はあまり話せないんです。
男： そうですか。
★ 女の人は中国語が全然できません。 （ × ）

3）
男： これがことしの新しい製品の…
女： すみません。よく聞こえないんですが、もう少し大きい声でお願いします。
男： はい、わかりました。
★ 今から男の人は大きい声で話します。 （ ○ ）

4）
男： あそこにおもしろいデザインのビルが見えるでしょう？
あれは東京でいちばん新しい美術館です。
女： いつできたんですか。

男：　去年の６月にできました。
女：　そうですか。
★　美術館は去年できました。　（ ○ ）

5）　女：　今度うちでパーティーをするんだけど……。
男：　じゃ、僕がサンドイッチ、作ってあげるよ。
女：　サンドイッチ？ ありがとう。
男：　ケーキも作れるよ。
女：　ケーキはミラーさんが持って来てくれるから…。
★　男の人はサンドイッチとケーキを作ります。　（ × ）

3．　1）書けます／書ける　2）泳げます／泳げる　3）話せます／話せる
4）勝てます／勝てる　5）飲めます／飲める　6）帰れます／帰れる
7）呼べます／呼べる　8）買えます／買える
9）食べられます／食べられる　10）寝られます／寝られる
11）降りられます／降りられる　12）来られます／来られる
13）できます／できる

4．　1）パソコンが使えます　2）カードで払えます
3）日本人の名前がすぐ覚えられません
4）長い休みが取れませんでした

5．　1）いいえ、テニスしかしません　2）いいえ、日曜日しか休めません
3）いいえ、少ししか寝られませんでした
4）いいえ、ワット先生しか知りません

6．　1）犬は好きですが、猫は好きじゃありません
2）ビールは飲めますが、ワインは飲めません
3）姉には話しましたが、両親には話しませんでした
4）７月と８月は登れますが、９月から６月までは登れません

7．　1）から／が　2）は／は　3）に／が　4）も

8．　1）×　2）○　3）×　4）○

第 28 課

1.　1）　ピアノを弾きながら歌えますか。
　　　…例：　はい、歌えます。
　　2）　暇なときは、いつも何をしていますか。
　　　…例：　本を読んだり、ビデオを見たりしています。
　　3）　子どものとき、毎日学校が終わってから、何をしていましたか。
　　　…例：　サッカーをしていました。
　　4）　東京は人も多いし、いろいろな店もあるし、にぎやかです。
　　　あなたが住んでいる町はどうですか。
　　　…例：　わたしの町は小さいし、人も少ないし、静かです。

2.　1）　女：　先生、太郎は学校でどうですか。
　　　男：　太郎君は元気だし、親切だし、友達はみんな太郎君が好きですよ。
　　　女：　そうですか。
　　　★　太郎君は人気がありません。　（ × ）

　　2）　女：　山田さんの奥さんは働いているんですか。
　　　男：　ええ、働いています。
　　　女：　じゃ、山田さんも料理や洗濯をしますか。
　　　男：　ええ、時々しますよ。
　　　★　山田さんも時々晩ごはんを作っています。　（ ○ ）

　　3）　女：　ミラーさんが生まれた所はどこですか。
　　　男：　ニューヨークの近くです。小さい町ですが、海が近いですから、
　　　　　景色もいいし、魚もおいしいです。
　　　★　ミラーさんは海の近くの町で生まれました。　（ ○ ）

　　4）　女：　ミラーさん、毎朝早いですね。
　　　男：　ええ、朝早く出ると、電車で座れるし……。それに会社で
　　　　　コーヒーを飲みながら新聞が読めますから。
　　　★　ミラーさんは朝うちで新聞を読みます。　（ × ）

　　5）　女：　あの人だれ？

男：　どの人？
女：　あそこでテレビを見ながらごはん食べている人。
男：　ああ、グプタさんだよ。インドから来たんだ。
★　グプタさんは今テレビを見ています。　（　○　）

3.　1）　コーヒーを飲みながら新聞を読みます
　　2）　テレビを見ながらごはんを食べます
　　3）　音楽を聞きながら勉強します
　　4）　歌いながら踊ります

4.　1）　買っています／行きました　　2）　歩いています／乗りました
　　3）　ジョギングしています／泳ぎます（泳いでいます）
　　4）　食べています／飲みませんでした

5.　1）　軽い／簡単だ　　2）　広い／静かだ　　3）　頭がいい／優しい

6.　1）　b　　2）　c　　3）　a

7.　1）　○　　2）　×　　3）　×　　4）　○

第 29 課

1.　1）今財布にいくらお金が入っていますか。
…例：　2万円ぐらい入っています。
2）今着ている服にポケットが付いていますか。
…例：　いいえ、付いていません。
3）土曜日銀行は開いていますか。
…例：　いいえ、閉まっています。
4）日曜日デパートは込んでいますか。
…例：　はい、込んでいると思います。
5）電車に忘れ物をしてしまったら、どうしますか。
…例：　駅に電話します。

2.　1）
男：　寒いですね。
女：　あ、窓が少し開いていますよ。
男：　あ、そうですね。閉めましょうか。
女：　ええ、お願いします。
★　部屋の窓は開いていました。　（ ○ ）

2）
女：　いつも早いですね。
男：　ええ、電車がすいている時間に来るんです。吉田さんも早いですね。
女：　わたしは車で来るんです。遅くなると、道が込みますから。
★　男の人が乗る電車は込んでいます。　（ × ）

3）
男：　すみません。ファクスを使ってもいいですか。
女：　ここのファクス、今壊れているんです。すみませんが、2階のを使ってください。
男：　はい、わかりました。
★　2階のファクスは今故障しています。　（ × ）

4）
女：　あのう、すみません。きのうこちらに傘を忘れてしまったんですが。
男：　傘ですか。
女：　ええ、赤い傘です。あのテーブルの横に置いたんですが。
男：　ああ。ちょっと待ってください。……これですか。

女：　あ、それです。どうもすみません。
★　女の人は忘れた傘を取りに来ました。　（ ○ ）

5）　女：　吉田さん、ちょっと来週の出張について話したいんだけど。
男：　あのう、これをコピーしてしまいたいんですが。すぐ終わりますから。
女：　いいですよ。じゃ、終わったら、言ってください。
★　男の人は今コピーをしています。　（ ○ ）

3.　1）　ガラスが割れています　2）　袋が破れています
3）　木の枝が折れています　4）　うちの前に車が止まっています

4.　1）　消えて　2）　ついて　3）　込んで　4）　付いて

5.　1）　入って　2）　壊れて（故障して）　3）　汚れて
4）　すいて

6.　1）　やって（して）　2）　飲んで　3）　読んで　4）　書いて

7.　1）　遅れて　2）　まちがえて　3）　破れて　4）　忘れて

8.　1）　×　2）　○　3）　×　4）　○

第 30 課

1\.　1）　机の上に何が置いてありますか。
　　　…例：　時計が置いてあります。

　　2）　パスポートはどこにしまってありますか。
　　　…例：　机の引き出しにしまってあります。

　　3）　あなたの部屋の壁に何か掛けてありますか。
　　　…例：　はい、カレンダーが掛けてあります。

　　4）　パーティーのまえに、どんな準備をしておきますか。
　　　…例：　料理を作ったり、音楽のテープを準備したりしておきます。

　　5）　外国へ行くまえに、どんなことをしておいたらいいですか。
　　　…例：　ことばや習慣を勉強しておいたらいいと思います。

2\.　1）　女：　この傘、だれのですか。
　　　男：　忘れ物ですね。名前が書いてありませんか。
　　　女：　ああ、ここに書いてあります。佐藤さんのです。
　　　★　傘に佐藤さんの名前が書いてあります。　（ ○ ）

　　2）　女：　セロテープはどこですか。
　　　男：　あの引き出しにありませんか。
　　　女：　ええ、ないんです。
　　　男：　あっ、ここにあります。すみません。
　　　★　セロテープは引き出しに入れてあります。　（ × ）

　　3）　男：　木曜の夜の予定は？
　　　女：　パワー電気の森部長とお食事です。
　　　　　大阪ホテルのレストランを予約しておきました。
　　　男：　そう。ありがとう。
　　　★　男の人は木曜の夜大阪ホテルで食事します。　（ ○ ）

　　4）　男：　田中さん、わたしがしますから、もう帰ってもいいですよ。
　　　女：　はい。この資料、しまっておきましょうか。
　　　男：　まだ使いますから、出しておいてください。
　　　女：　そうですか。じゃ、失礼します。

★　女の人は資料をしまいます。　（ × ）

5）　女：　おいしいケーキがあるから、お茶でも飲まない？
男：　えっ、冷蔵庫にあったケーキ？
あれ、もう食べてしまったけど。
女：　えっ！
★　これから冷蔵庫に入れておいたケーキを食べます。　（ × ）

3.　1）　花が置いてあります
2）　［日本の］地図がはってあります
3）　壁に掛けてあります
4）　部屋の隅に置いてあります

4.　1）　買って　2）　コピーして　3）　払って　4）　予約して

5.　1）　予習して　2）　読んで　3）　見て　4）　片づけて

6.　1）　しておいてください　2）　置いて（出して）おいてください
3）　開けておいてください　4）　つけておいてください

7.　1）　います　2）　ありませんでした　3）　おいて　4）　あります

8.　1）　×　2）　○　3）　×

第 31 課

1\. 1） 「みんなの日本語」が終わってからも日本語の勉強を続けますか。

…例： はい、続けるつもりです。

2） 今度の日曜日は何をしますか。

…例： 買い物に行こうと思っています。

3） 32課はもう勉強しましたか。

…例： いいえ、まだ勉強していません。

4） あしたは何か予定がありますか。

…例： はい、10時から会議の予定です。

2\. 1） 女： シュミットさん、連休はどこか行くんですか。

男： いいえ。息子と近くの川で釣りをしようと思っています。渡辺さんは？

女： わたしもうちにいるつもりです。連休は人も多いし、道も込んでいますからね。

★ 女の人は連休はどこも行きません。 （ ○ ）

2） 女： パクさん、大学の入学試験はどうでしたか。

男： 難しかったです。ほとんど書けませんでした。

女： そうですか。

男： でも、来年もう一度受けようと思っているんです。

女： そうですか。来年はきっと大丈夫ですよ。

★ 男の人は来年も入学試験を受けます。 （ ○ ）

3） 女： タワポンさん、レポートはもうまとめましたか。

男： いいえ、まだなんです。

女： あさってまでですよ。急がないと……。

男： はい。今晩書くつもりです。

★ タワポンさんはまだレポートをまとめていません。 （ ○ ）

4） 男： 田中さん、来週さくら大学へ行きますか。

女： ええ、水曜日に行く予定です。

男：　じゃ、すみませんが、ワット先生にこの本を返していただけませんか。
女：　いいですよ。
★　田中さんは来週ワット先生に会います。　（ ○ ）

5）　女：　サッカーの試合は何時から？
男：　7時から。まだ時間があるから、どこかで食事しない？
女：　わたし、ちょっと買い物したいんだけど……。
男：　いいよ。じゃ、試合が終わってから、食べよう。
★　二人はこれからすぐサッカーの試合を見に行きます。　（ × ）

3.　1）急ごう　2）踊ろう　3）探そう　4）待とう
5）寝よう　6）続けよう　7）決めよう　8）休憩しよう
9）来よう

4.　1）買おう　2）予約しよう　3）建てよう　4）行こう

5.　1）手伝ってもらうつもりです　2）帰らないつもりです
3）出かけるつもりです　4）持って行かないつもりです

6.　1）7日（来週の月曜日）の予定です
2）はい、広島へ出張の予定です
3）3日（木曜日）に会う予定です　4）上野公園へ行く予定です

7.　1）東京に住んでいます。
2）映画館もないし、レストランもないからです。
3）都会の子どもたちが自由に遊べる「山の学校」を作ろうと思っています。
4）美しい自然です。

第 32 課

1\. 1) 日本語を勉強するとき、試験があったほうがいいと思いますか、ないほうがいいと思いますか。
…例： あったほうがいいと思います。

2) かぜをひいたんですが、薬を飲んだほうがいいですか。
…例： いいえ、かぜの薬は飲まないほうがいいです。

3) あなたの国では、これから日本語を勉強する人は多くなるでしょうか、少なくなるでしょうか。
…例： 多くなるでしょう。

2\. 1)
女： 田中さん、きょうは英語教室ですね。
男： そうなんですが、実はきのうの晩から少し熱があるんです。
女： じゃ、早く帰って、ゆっくり休んだほうがいいですね。
男： ええ、そうします。
★ 田中さんは英語教室に行きません。 （ ○ ）

2)
女： 土曜日からイタリアへ旅行に行くんです。
男： へえ、いいですね。
女： でも、外国は初めてですから、ちょっと心配なんです。
男： 大丈夫ですよ。でも、お金は現金で持って行かないほうがいいですよ。
女： わかりました。
★ イタリアへ行くとき、現金でお金を持って行っても、大丈夫です。 （ × ）

3)
女： きのう大学の入学試験を受けました。
男： どうでしたか。
女： あまり難しくなかったです。
男： じゃ、きっと大丈夫でしょう。
★ 男の人は女の人が試験に失敗したと思っています。 （ × ）

4)
男： あのう、すみません。ミラーさんは、今どちらですか。
女： たぶん食堂でしょう。

男：　じゃ、1時ごろまた来ます。
女：　はい、ミラーさんにそう言っておきます。
★　男の人はミラーさんに会えませんでした。　（ ○ ）

5）　女1：　バス、なかなか来ないわね。もう6時半よ。
女2：　そうね。コンサートに間に合わないかもしれないわ。
女1：　ねえ、タクシーで行かない？
女2：　そうね。そうしよう。
★　バスが来ませんから、2人はタクシーで行きます。　（ ○ ）

3.　1）　しない　2）　予約した　3）　食べない（飲まない）
4）　寝た

4.　1）　話せる　2）　無理　3）　辛くない
4）　ゴルフじゃない（ゴルフではない）

5.　1）　間に合わない　2）　見えない　3）　難しい　4）　大変

6.　1）　まじめだ　2）　なる　3）　会議室
4）　残業しなければならない

7.　1）　○　2）　○　3）　×　4）　×

第 33 課

1.　1）　1）に書いてある字は何と読みますか。
　　　…「みんなのにほんご」と読みます。
　2）　禁煙はどういう意味ですか。
　　　…例：　たばこを吸うなという意味です。

2.　1）　男：　すみません。あれは何と読むんですか。
　　　女：　「使用禁止」です。
　　　男：　どういう意味ですか。
　　　女：　使うなという意味です。
　　　★　使用禁止は使ってはいけないという意味です。　（ ○ ）

　2）　女：　どうしたんですか。
　　　男：　コピー機が動かないんです。
　　　女：　あ、ここに「故障」と書いてありますよ。
　　　男：　そうですか。
　　　★　コピー機は今使えません。　（ ○ ）

　3）　男：　もしもし、田中ですが、ミラーさんはいますか。
　　　女：　今出かけていますが、3時ごろ戻ると言っていました。
　　　男：　じゃ、3時半ごろまたかけます。
　　　女：　すみません。
　　　★　ミラーさんは3時ごろ戻るでしょう。　（ ○ ）

　4）　男：　グプタさんはいますか。
　　　女：　今ちょっと席を外していますが。
　　　男：　じゃ、すみませんが、グプタさんにパーティーは駅の前の
　　　　　「つるや」ですると伝えていただけませんか。
　　　女：　「つるや」ですね。わかりました。
　　　★　女の人はグプタさんにパーティーの場所を伝えます。　（ ○ ）

　5）　男1：　頑張れ！　山田。投げろ！　あーあ。

男2：　すみません。
男1：　大丈夫。大丈夫。次の試合で頑張ろう。
男2：　はい。次の試合はきっと勝ちます。
★　山田君は今の試合で失敗しましたが、次の試合で頑張ります。
（　○　）

3.　1）急げ／急ぐな　2）立て／立つな　3）出せ／出すな
　4）止めろ／止めるな　5）忘れろ／忘れるな　6）来い／来るな
　7）運転しろ／運転するな

4.　1）まっすぐ行け　2）気をつけろ（注意しろ）
　3）写真を撮るな

5.　1）払わなくてもいい
　2）壊れている（故障している、故障だ、使えない）
　3）たばこを吸うことができる（たばこを吸ってもいい）

6.　1）木村さん／きょうは柔道の練習がない
　2）渡辺さん／この本はとても役に立った
　3）田中さん／展覧会は4日から1週間の予定だ

7.　1）○　2）○　3）×

第 34 課

1\. 1） これからわたしが言うとおりに、書いてください。いろはにほへと。

…いろはにほへと

2） 毎晩食事が終わったあとで、何をしていますか。

…例： テレビを見ています。

3） あなたの国ではお葬式にどんな服を着て行きますか。

…例： 黒い服を着て行きます。

4） 夜寝ないで、勉強したことがありますか。

…例： いいえ、ありません。

2\. 1）

女： すみません。新幹線の乗り場はどちらですか。
男： あの矢印のとおりに行ってください。
女： わかりました。ありがとうございました。
★ 矢印のとおりに行くと、新幹線の乗り場へ行けます。 （ ○ ）

2）

男： このケーキ、味はどうですか。
女： うーん。
男： おいしくないですか。本のとおりに作ったんですけど。
女： 砂糖を入れましたか。
男： あっ、忘れました。
★ 男の人はケーキの作り方をまちがえました。 （ ○ ）

3）

女： ミラーさん、お薬です。
男： はい。
女： この白い薬は1日に3回食事のあとで、飲んでください。
それから、この赤いのは寝るまえに、飲んでください。
男： はい、わかりました。
★ ミラーさんは毎日食事をしてから、赤い薬を飲みます。
（ × ）

4）

女： すみません。会議室の準備を手伝ってくれませんか。
男： 今、会議の資料をまとめているんですが……。
女： じゃ、それが終わったら、お願いします。

男：　はい、わかりました。
★　　男の人は資料をまとめたあとで、会議室の準備をします。
（　○　）

5）　女：　どうしたの？
男：　かぜをひいてしまったんだ。きのうの晩、窓、閉めないで寝たから。
女：　そう。涼しくなったから、気をつけないと。
男：　うん。
★　　きのうの晩男の人の部屋の窓は開いていました。　（　○　）

3.　1）　書いた／書いてください　　2）　言う／言ってください
3）　線の／切ってください　　4）　番号の／押してください

4.　1）　食事をした／コンサートに行きました
2）　日本へ来て／日本語を習いました
3）　仕事の（仕事をした）／ビールを飲みました
4）　寝る／手紙を書きました

5.　1）　どこも行かないで、うちで本を読みます
2）　国へ帰らないで、北海道を旅行します
3）　何も買わないで、すぐ帰りました
4）　出かけないで、レポートをまとめました

6.　1）　持たないで　2）　話しながら　3）　して　4）　押しても

7.　（5）　（1）　（4）　（2）　（3）

第 35 課

1\. 1) どうすれば、漢字が覚えられますか。
…例： 何回も書けば、覚えられます。

2) 安ければ、車を買いますか。
…例： いいえ、安くても、買いません。

3) 初めて人に会ったとき、何と言えばいいですか。
…例： 「初めまして」と言えばいいです。

4) パソコンを買いたいんですが、どこのがいいですか。
…例： パソコンなら、パワー電気のがいいです。

2\. 1) 男： 相撲のチケットを買いたいんですが、どうすればいいですか。
女： 相撲のことなら、山田さんがよく知っていますから、山田さんに聞いてください。
★ 山田さんに聞けば、相撲のチケットの買い方がわかります。
（ ○ ）

2) 女： どうしたんですか。
男： タクシーにかばんを忘れたんです。困ったなあ。
女： タクシーの会社に電話すれば、すぐわかると思いますよ。
男： うーん、タクシー会社の名前を覚えていないんです。
★ 男の人はすぐタクシーの会社に電話をかけます。 （ × ）

3) 男： ここはいい所ですね。雪の景色もいいし、温泉もあるし。
女： ええ。冬もいいですが、春になれば、桜が咲いて、もっときれいですよ。
男： じゃ、春にもう一度来たいですね。
★ ここは冬より春がいいです。 （ ○ ）

4) 男： 肉料理と魚料理とどちらがいいですか。
女： そうですね。魚がいいですね。
男： 魚なら、ワインは白がいいですね。
女： ええ。白ワインをお願いします。

★　女の人は白のワインを飲みながら、魚料理を食べます。
（ ○ ）

5）　男：　このうちはちょっと駅から遠いね。
女：　それで安いのよ。
男：　そうだね。家賃は駅に近ければ近いほど高くなるからね。
★　このうちは駅から遠いですから、安いです。　（ ○ ）

3.　1）飲めば／飲まなければ　2）急げば／急がなければ
3）待てば／待たなければ　4）買えば／買わなければ
5）話せば／話さなければ　6）食べれば／食べなければ
7）降りれば／降りなければ　8）来れば／来なければ
9）すれば／しなければ　10）おもしろければ　11）安ければ
12）にぎやかなら　13）病気なら

4.　1）なれば　2）急げば　3）なければ　4）閉めなければ
5）安ければ　6）よければ　7）暇なら　8）新幹線なら

5.　1）タクシーなら／b　2）5千円ぐらいなら／d
3）30分ぐらいなら／c

6.　1）申し込めば　2）行けば　3）言えば

7.　1）勉強すれば／勉強する　2）早ければ／早い
3）新しければ／新しい

8.　1）○　2）×

第 36 課

1\. 1） 病気にならないように、何か気をつけていますか。
　　…例： はい、運動するようにしています。
　2） 漢字が読めるようになりましたか。
　　…例： はい、少し読めるようになりました。
　3） 日本語のニュースがわかるようになりましたか。
　　…例： いいえ、まだあまりわかりません。
　4） 夜コーヒーを飲むと、寝られなくなりますか。
　　…例： いいえ、寝られます。

2\. 1） 男： 電子辞書、いつも持っているんですか。
　　女： ええ。わからないことばがすぐ調べられますから。
　　男： ちょっと見せてください。ふうん、軽いんですね。
　　女： ええ、どこでも持って行けるし、便利ですよ。
　　★ 女の人はわからないことばがすぐ調べられるように、いつも電子辞書を持っています。 （ ○ ）

　2） 男： かぜをひいたんですか。
　　女： ええ。気をつけていたんですが。
　　男： うちへ帰ったら、まず手を洗うようにすると、かぜをひきませんよ。
　　女： え、そうですか。じゃ、これからそうします。
　　★ これから女の人はかぜをひいたとき、手を洗うようにします。 （ × ）

　3） 女： 東京の生活には慣れましたか。
　　男： ええ。
　　女： 食事は外でするんですか。
　　男： いいえ、朝と晩は自分で作っています。やっとおいしい物が作れるようになりました。
　　★ 男の人は料理ができません。 （ × ）

　4） 男： このごろ人の名前がなかなか思い出せなくなりました。

女：　わたしは物を置いた所をすぐ忘れてしまうんです。
男：　年は取りたくないですねえ。
女：　そうですね。
★　　男の人はこのごろ人の名前がすぐ思い出せません。　　（　○　）

5）　男：　おはよう。きょうは遅いね。
女：　朝起きられなかったの。
男：　この時間は電車、込んでるでしょう？
女：　うん、すごいラッシュ。いつもは早い電車で来るようにしてるんだけど。
★　　女の人はいつもラッシュの電車で来ます。　　（　×　）

3.　1）　泳げる　　2）　治る　　3）　ならない　　4）　忘れない

4.　1）　ショパンの曲が弾ける／弾けるようになりました
2）　日本語の新聞が読める／読めるようになりました
3）　パソコンで図がかける／かけません
4）　料理ができる／できません（作れません）

5.　1）　見えなく　　2）　着られなく　　3）　出られなく　　4）　読めなく

6.　1）　磨く　　2）　無理をしない　　3）　貯金する　　4）　歩かない

7.　1）　15世紀に行けるようになりました。
2）　大勢の人やたくさんの物が運べるようになりました。
3）　1903年に初めて空を飛びました。

第 37 課

1. 1) お父さんに褒められたことがありますか。どんなときですか。
…例：　はい。うちの仕事を手伝ったとき、褒められました。

2) 何か大切な物をとられたことがありますか。
…例：　はい。カメラをとられました。

3) あなたの町でいちばん古い建物は何ですか。いつごろ建てられましたか。
…例：　教会です。500年まえに建てられました。

4) あなたの国から日本へどんな物が輸出されていますか。
…例：　石油が輸出されています。

2. 1)
女：　高橋さん、何かいいことがあったんですか。
男：　ええ。実は渡辺さんに映画に誘われたんです。
女：　あら、よかったですね。
★　渡辺さんは高橋さんを映画に誘いました。　（ ○ ）

2)
女：　田中さん、あした自転車を貸していただけませんか。
男：　すみません。先週息子が壊してしまったんです。
今修理してもらっているんです。
女：　そうですか。
★　田中さんは息子に自転車を壊されました。　（ ○ ）

3)
女：　ヨーロッパ旅行はどうでしたか。
男：　とても楽しかったんですが、イタリアでかばんをとられてしまったんです。
女：　まあ。パスポートも入っていたんですか。
男：　いいえ、パスポートはほかの所に入れてありましたから、大丈夫でした。
★　男の人はパスポートをとられました。　（ × ）

4)
女：　きのうの復習をしましょう。田中君、電話はいつ発明されましたか。
男：　1876年です。
女：　じゃ、だれが発明しましたか。

男： アメリカ人のベルです。
★ 電話はベルによって発明されました。 （ ○ ）

5） 男： これ、誕生日のプレゼント。
女： まあ、ありがとう。何？
男： ドイツの歌のＣＤ。歌の説明が中に入っているよ。
女： でも、わたし、ドイツ語が読めないわ。
男： 英語の説明もあるから、大丈夫だよ。
★ 説明はドイツ語と英語で書かれています。 （ ○ ）

3． 1） 踏まれます 2） しかられます 3） 選ばれます
4） 汚されます 5） 飼われます 6） 褒められます
7） 捨てられます 8） 見られます 9） 連れて来られます
10） 輸出されます 11） 注意されます

4． 1） わたしは犬にかまれました。
2） わたしは部長に出張について聞かれました。
3） わたしは先生に名前をまちがえられました。
4） わたしは子どもに本を汚されました。

5． 1） 使われて 2） 輸入されて（輸出されて） 3） 作られて
4） 食べられて

6． 1） に 2） が 3） で 4） によって

7． 1） × 2） × 3） ○ 4） ○

第　38　課

1.　1）本を読むのが好きですか。
…例：　はい、好きです。

2）お母さんは料理を作るのが上手ですか。
…例：　はい、上手です。

3）日本で生活するのは大変だと思いますか。
…例：　はい、大変だと思います。

4）自動販売機でも切手が買えるのを知っていますか。
…例：　いいえ、知りませんでした。

5）日本語の勉強を始めたのはいつですか。
…例：　去年の3月です。

2.　1）
女：　あのう、これ、クリーニングお願いします。
男：　はい。コートですね。
女：　あしたの夕方までにできますか。
男：　うーん、ちょっと……。あさってなら、できますが……。
★　あしたまでにコートをクリーニングするのは無理です。（　○　）

2）
男：　渡辺さん、みんなでカラオケに行くんですが、いっしょに行きませんか。
女：　カラオケですか……。
男：　嫌いですか。
女：　いえ、歌を聞くのは好きなんですが、自分で歌うのはちょっと……。
★　渡辺さんはカラオケで歌うのが好きじゃありません。（　○　）

3）
男：　カリナさん、映画を見に行きませんか。
女：　きょうはちょっと……。あした試験がありますから。
男：　えっ、あした試験があるんですか。
女：　ええ。教室の予定表に書いてありましたよ。
男：　大変だ。
★　男の学生はあした試験があるのを知りませんでした。（　○　）

4）　女：　鈴木さん、はい、テープ。
　　　男：　ありがとう。あれ？　これ、60分のテープですね。
　　　　　　わたしが頼んだのは、90分のテープなんですが。
　　　女：　あ、すみません。まちがえました。
　　　★　　男の人が欲しかったのは90分のテープです。　　（ ○ ）

5）　女：　田中さん、もうレポート、出した？
　　　男：　あ、いけない。
　　　女：　書いていないの？
　　　男：　書いたんだけど、出すのを忘れたよ。
　　　★　　男の人はレポートを書くのを忘れました。　　（ × ）

3．　1）　ケーキを作る　　2）　名前を書く
　　　3）　パワー電気の電話番号が［先月］変わった　　4）　この箱を持つ

4．　1）　いちばん忙しいのは夕方です　　2）　生まれたのは九州です
　　　3）　とられたのは財布だけです　　4）　話せるのは中国語だけです

5．　1）　は　　2）　を　　3）　が　　4）　は

6．　1）　の　　2）　こと　　3）　の　　4）　こと

7．　1）　×　　2）　○　　3）　×　　4）　○

第 39 課

1\. 1） 雨で学校が休みになったことがありますか。

…例：　はい、あります。

2） 家族や友達に会えなくて、寂しいとき、どうしますか。

…例：　お酒を飲んだり、歌を歌ったりします。

2\. 1） 女：　あしたの晩、みんなでイタリア料理を食べに行くんですが、ミラーさんもいっしょにいかがですか。

男：　すみません。あしたの晩はちょっと都合が悪くて……。

女：　そうですか。残念ですね。

男：　また今度お願いします。

★　ミラーさんはイタリア料理を食べに行けません。　（ ○ ）

2） 女：　あのう、ちょっとお願いがあるんですが……。

男：　はい、何ですか。

女：　来週の水曜日に国から母が来るので、午後早退してもいいですか。

男：　ええ、いいですよ。どうぞ。

★　女の人は来週の水曜日会社を休みます。　（ × ）

3） 男：　もしもし、田中です。

女：　田中さん、どうしたんですか。もうすぐ会議が始まりますよ。

男：　実は事故で今電車が止まっているんです。会議に間に合わないので、先に始めてください。

女：　わかりました。

★　田中さんが来てから、会議を始めます。　（ × ）

4） 女：　日本の生活で何か問題はありませんか。

男：　ええ、実は漢字がわからなくて、困っているんです。

女：　そうですか。漢字は書けなくてもいいですが、意味がわからなければ、困りますよね。

男：　ええ、これから漢字の勉強を始めます。

★　男の人は漢字がわかるようになりたいと思っています。

（ ○ ）

5） 男： 待った？
　　女： 30分、遅刻よ。どうしたの？
　　男： 道が込んでいて、車が全然動かなかったんだ。
　　女： そう。日曜日は車が多いからね。
　　★ 男の人は車の事故で、約束の時間に遅れました。 （ × ）

3\. 1） 生まれて／うれしいです　2） 来なくて／悲しいです
　3） 聞いて／びっくりしました　4） できなくて／がっかりしました

4\. 1） 高くて／買えませんでした　2） 複雑で／わかりません
　3） うるさくて／寝られません　4） かぜで／参加できませんでした

5\. 1） 雪で新幹線が止まりました　2） 台風で木が倒れました
　3） 火事でデパートが焼けました　4） 交通事故で人が死にました

6\. 1） よくない　2） 受ける　3） 便利な　4） 初めてな

7\. 1） ×　2） ×　3） ○　4） ○

第 40 課

1\. 1） 今世界に国がいくつあるか知っていますか。
…例： 190ぐらいだと思います。

2） 次のオリンピックはどこで行われるか知っていますか。
…例： はい、知っています。

3） パーティーですてきな人に会ったら、名前のほかに何を知りたいですか。
…例： 結婚しているかどうか知りたいです。

4） 月へ行ってみたいですか。
…例： はい、行ってみたいです。

2\. 1） 男： サントスさんの写真の展覧会はあしたの10時からです。
女： はい。
男： 場所は市役所の2階のロビーです。
女： わかりました。
★ 男の人はサントスさんの写真の展覧会がいつどこであるか、女の人に伝えました。 （ ○ ）

2） 女： ミラーさん、スキー旅行に参加しますか。
男： まだ決めていません。
女： 早く決めないと……。申し込みはあさってまでですよ。
男： ええ、そうですね。
★ ミラーさんはスキー旅行に参加するかどうか早く決めなければなりません。 （ ○ ）

3） 女： ミラーさんは？
男： さっきパワー電気へ行きましたよ。
女： 何時ごろ帰りますか。
男： すみません。鈴木さんに聞いてみてください。
★ 男の人はミラーさんが何時に帰るか知りません。 （ ○ ）

4） 女： ことしのワインですよ。フランスのワインです。
おいしいですよ。どうぞ飲んでみてください。
男： じゃ、ちょっとだけ。

うん。おいしい。
1本ください。
★　男の人はワインを飲んでみて、おいしかったので、買いました。
（ ○ ）

5）　女：　盆踊りを見たことがある？
男：　ううん。一度見てみたいな。
女：　来週うちの近くであるから、いっしょに行って、踊ってみない？
男：　うん。やってみようか。
★　男の人は盆踊りをしてみます。　（ ○ ）

3.　1）　会ったか　2）　着くか　3）　なるか
4）　生まれるか（生まれているか）

4.　1）　健康かどうか　2）　必要かどうか　3）　おいしいかどうか
4）　ないかどうか

5.　1）　量るか　2）　元気かどうか　3）　ないかどうか
4）　持っていないかどうか

6.　1）　行ってみ　2）　食べてみて　3）　着てみる　4）　入れてみ

7.　1）　○　2）　×　3）　○　4）　○

第 41 課

1. 1) 小学校では誕生日に先生にプレゼントをもらいましたか。
   …例： いいえ、いただきませんでした。
   2) あなたは子どもの誕生日に何をしてあげますか。
   …例： 誕生日のパーティーをしてやります。
   3) 第40課はだれに教えてもらいましたか。
   …例： 小林先生に教えていただきました。
   4) だれが初めて字を教えてくれましたか。
   …例： 小学校の先生が教えてくださいました。
   5) 先生にもう一度説明してもらいたいとき、何と言いますか。
   …例： 「もう一度説明していただけませんか」と言います。

2. 1) 女： タワポンさん、この辞書、買ったんですか。
   男： いいえ、先生にいただいたんです。とてもいい辞書です。
   女： そうですか。よかったですね。
   ★ 先生は男の人に辞書をあげました。 （ ○ ）

   2) 女： パワー電気のシュミットさんを知っていますか。
   男： ええ。先週ミラーさんが紹介してくださいました。
   女： おもしろい方でしょう？
   男： ええ。とても元気な方ですね。
   ★ 男の人はミラーさんにシュミットさんを紹介しました。 （ × ）

   3) 女： 田中さんはお正月にお子さんに何かあげるんですか。
   男： ええ、お年玉をやります。
   女： お年玉？
   男： お金を袋に入れてやるんです。
   女： そうですか。中国と同じですね。
   ★ お正月に中国の子どもはお金をもらいます。 （ ○ ）

   4) 女： ワット先生、ちょっとお願いがあるんですが……。
   男： はい、何ですか。

女：　実は英語で手紙を書いたんですが、ちょっと見ていただけませんか。

男：　いいですよ。……ずいぶんまちがいがありますね。

★　ワットさんは学生の手紙を見てあげました。　（ ○ ）

5）　男：　もう遅いから、うちまで送るよ。

女：　ありがとう。

女：　送ってくれて、どうもありがとう。
きょうはとても楽しかったわ。

男：　僕も。じゃ、また。

★　女の人は男の人にうちまで送ってもらいました。　（ ○ ）

3.　1）　いただきました　2）　やる　3）　もらいました
4）　くれました　5）　くださいました

4.　1）　貸してくださった　2）　送っていただきました
3）　教えてくれた　4）　連れて行ってくださいました

5.　1）　見てくださいませんか　2）　手伝ってくださいませんか
3）　説明してくださいませんか　4）　かいてくださいませんか

6.　1）　が　2）　に　3）　を　4）　が／を

7.　1）　子どもたちにいじめられていましたから。
2）　海の中のお城へ行きました。
3）　300年ぐらいいました。
4）　300年の時間だと思います。

第 42 課

1.　1）漢字を覚えるために、どんなことをしていますか。
…例：　何回も書いています。

2）健康のために、何か気をつけていますか。
…例：　野菜を食べるようにしています。

3）あなたの国でうちを建てるのにいくらぐらいかかりますか。
…例：　1千万円ぐらいかかります。

4）日本からあなたの国へ手紙を出すのにいくらの切手が要りますか。
…例：　130円の切手が要ります。

5）あなたの国で旅行にいいのはいつですか。
…例：　6月ごろです。

2.　1）女：　木村さんはイタリアへ行くんですか。
男：　ええ。音楽を勉強するために、行くと言っていました。
女：　そうですか。いいですね。
★　木村さんはイタリアへ音楽の勉強に行きます。　（ ○ ）

2）女：　どうしたんですか。
男：　おなかが痛いので、病院へ行きます。
女：　タクシーを呼びましょうか。
男：　あ、大丈夫です。歩いて行けますから。
★　男の人は病院へ行くのにタクシーを使います。　（ × ）

3）男：　最近、スポーツクラブへ行っている人が多いですね。
女：　ええ、みんな健康のために、運動しているんです。
男：　渡辺さんも何かしていますか。
女：　ええ、毎週2回ぐらいプールで泳いでいます。
★　女の人は健康のために、プールへ行っています。　（ ○ ）

4）女：　この箱を捨ててもいいですか。
男：　あっ、捨てないでください。使いますから。
女：　何に使うんですか。
男：　引っ越しのとき、使いたいんです。

★　男の人は引っ越しのために、箱を捨てないで、置いておきます。
（　○　）

5）　女：　どんな結婚式をしたい？
男：　結婚式にお金を使うのはむだだよ。
女：　そうね。
男：　式にはあまりお金を使わないで、新しい生活のために、使おうよ。
★　お金がないので二人は結婚式をしません。　（　×　）

3.　1）　覚える　2）　なる　3）　平和の　4）　家族の

4.　1）　時刻表は電車の時間を調べるのに使います。
2）　テレホンカードは電話をかけるのに使います。
3）　ファイルは資料を入れるのに使います。
4）　やかんはお湯を沸かすのに使います。

5.　1）　勉強に　2）　料理に　3）　整理に　4）　旅行に

6.　1）　ために　2）　ように　3）　ように　4）　ために

7.　1）　×　2）　×　3）　○　4）　○

第 43 課

1\. 1）あなたの国で日本語を勉強する人はこれから増えそうですか、減りそうですか。

…例： 増えそうです。

2）日本の円はこれから高くなりそうですか、安くなりそうですか。

…例： 安くなりそうです。

3）買って来たシャツのサイズが合わなかったら、どうしますか。

…例： 買った店で取り替えてもらいます。

2\. 1）

男： やっと暖かくなりましたね。
女： ええ。
男： もうすぐ桜が咲きそうですね。
女： ことしもどこか花見に行きますか。
男： ええ、上野公園へ行こうと思っています。
★ 今桜が咲いています。 （ × ）

2）

女： このごろうれしそうですね。何かあったんですか。
男： ええ、子どもが生まれるんです。
女： それはおめでとうございます。いつごろですか。
男： 9月の予定なんです。
★ 男の人は子どもが生まれるので、うれしそうです。 （ ○ ）

3）

女： あ、切手、買わないと……。この辺で売っているでしょうか。
男： あ、あの店は？ 「切手、あります」と書いてありますよ。
女： あ、ほんとうですね。じゃ、ちょっと買って来ます。
★ 女の人は切手を買いに行きます。 （ ○ ）

4）

男： 社員旅行に行かないんですか。
女： ええ、ちょっと用事があって。
男： それは残念ですね。じゃ、お土産買って来ます。
女： ありがとうございます。写真もたくさん撮って来てくださいね。
★ 女の人は旅行に行って、写真を撮ります。 （ × ）

5） 男： 雨が降りそうだね。
女： ええ。
男： 傘を持って行こうか。
女： ええ、そうしたほうがいいわね。
★ 雨が降っていますから、傘を持って行きます。 （ × ）

3． 1） 切れ 2） なり 3） 遅れ 4） 降り

4． 1） おいし 2） 古 3） 丈夫 4） 便利（よさ）

5． 1） 聞いて 2） 見て 3） 呼んで 4） いれて

6． 1） × 2） ○ 3） ×

第 44 課

1\. 1） お酒を飲みすぎて、気分が悪くなったことがありますか。

…例： はい、会社の忘年会で飲みすぎました。

2） あなたの辞書は使いやすいですか。

…例： はい、とても使いやすいです。

3） あなたは疲れやすいですか。

…例： いいえ、いつも元気です。

4） あなたの国では大学に簡単に入学できますか。

…例： いいえ。大学が少ないですから。（試験が難しいですから）

2\. 1） 女： おはようございます。

男： おはようございます。どうしたんですか。声が変ですよ。

女： きのうカラオケで歌いすぎたんです。

★ 女の人はカラオケで歌をたくさん歌いました。 （ ○ ）

2） 男： 新しいパソコンはどうですか。

女： まえのよりずっと使いやすいです。

男： そうですか。

女： 操作も簡単だし、いろいろなことができるんです。

★ 新しいパソコンは簡単で、使いやすいです。 （ ○ ）

3） 女： 最近かぜをひきやすいんですが、どうしたらいいでしょうか。

男： きちんと食事をしていますか。

女： いいえ、忙しくて……。

男： それはいけませんね。
きちんと食べて、よく寝たほうがいいですよ。

★ 女の人はよく食べて、よく寝るので、あまりかぜをひきません。 （ × ）

4） 男： ごめんください。

女： はい。

男： 隣の田中ですが、テレビの音をもう少し小さくして
もらえませんか。

女： どうもすみません。気がつかなくて。
男： お願いします。
★ テレビの音は大きいです。 （ ○ ）

5） 男： ごはん、できたよ。
女： いただきます。ちょっと、味が薄いわね。
男： そう？
女： それに、肉はもっと薄く切らないと。
男： そうか。今度はもっとうまく作るぞ。
★ 男の人は肉を薄く切りました。 （ × ）

3． 1） 入れすぎました 2） 歌いすぎました
3） 多すぎます 4） 小さすぎます

4． 1） 食べすぎて 2） 買いすぎて 3） 狭すぎて（小さすぎて）
4） 高すぎて

5． 1） 歩き 2） 持ち 3） 破れ 4） 割れ

6． 1） 短く 2） 小さく 3） きれいに 4） 来週に

7． 1） 熱心に 2） 細かく 3） 優しく 4） 簡単に

8． 1） お祝いの気持ちがうまく伝えられませんから。
2） 話の大切な所をメモしておくといいです。
3） 易しいことばは覚えやすいし、まちがえにくいからです。
4） 「別れる」とか、「切れる」とかです。

第 45 課

1.　1）　あなたの国では火事が起きた場合は、何番に電話しますか。

…例：　119番に電話します。

2）　学校や会社を休む場合は、必ず連絡しますか。

…例：　はい、連絡します。

2.　1）　女：　1日に2回この白い薬を飲んでください。

男：　はい。1日に2回ですね。

女：　せきが止まらない場合は、この青いのも飲んでください。

男：　わかりました。

★　男の人は1日に2回青い薬と白い薬を飲みます。　（ × ）

2）　女：　山田さんは来週のミーティング、出席できますか。

男：　出席できるかどうか、まだわからないんですが……。

女：　そうですか。じゃ、出席できない場合は、あとで資料を取りに来てください。

男：　はい、わかりました。

★　ミーティングに出席しなくても、資料はもらえます。

（ ○ ）

3）　男：　渡辺さん、きょうの午後の会議は中止になりましたよ。

女：　えーっ。どうしてですか。

男：　部長が来られなくなったんです。

女：　きのう残業して書類を準備したのに……。

★　女の人はきょう会議がなくなって、うれしそうです。　（ × ）

4）　女：　あのう、千円札を入れたのに、お釣りが出ないんですが。

男：　レバーを回しましたか。

女：　レバー？　どれですか。

男：　右の方です。そのレバーを回してみてください。

女：　はい。あ、出ました。

★　レバーを回さなければ、お釣りが出ません。　（ ○ ）

5） 男： 試験、どうだった？
女： うーん、あまり難しくなかった。小川君は？
男： 僕は半分しかわからなかったよ。毎晩遅くまで
勉強したのに……。
★ 男の学生はよく勉強したので、試験は簡単でした。 （ × ）

3． 1） 止める／警察の許可をもらわ 2） 薄い／このボタンで調節して
3） 中止の／お金を返して 4） 必要な／係に申し込んで

4． 1） 読んでいない 2） 招待された 3） 4月な 4） 寒い

5． 1） 会議が始まる 2） 楽しみにしていた
3） たくさん買っておいた 4） 地図を持って行った

6． 1） 例： 上手に話せません 2） 例： おいしくないです
3） 例： 写真を撮りませんでした 4） 例： また故障しました

7． 1） × 2） × 3） × 4） ○

第 46 課

1.　1)　もう46課の問題をやってしまいましたか。
…例：　いいえ、今からするところです。
2)　今何をしていますか。
…例：　日本語の宿題をしているところです。

2.　1)　男：　困ったなあ。
女：　どうしたんですか。
男：　パソコンが故障したんです。1週間まえに、買ったばかりなのに……。
女：　買った店に連絡して、見てもらったほうがいいですよ。
男：　そうですね。すぐ電話してみます。
★　男の人のパソコンは新しいですが、今使えません。　（　○　）

2)　女：　もしもし、ミラーさん？　イーです。
あのう、きょうの約束なんですが……。
男：　ええ。
女：　実は、急に用事ができてしまったので、5時に変えていただけませんか。
男：　ええ、いいですよ。ちょうど今出かけるところだったので、間に合って、よかったです。
★　ミラーさんは出かけるとき、イーさんから電話をもらいました。
（　○　）

3)　男：　すみません、会議室のかぎを知りませんか。
女：　シュミットさんが持っているはずですよ。
会議室を使うと言っていましたから。
男：　じゃ、シュミットさんに聞いてみます。
★　女の人はシュミットさんがかぎを持っていると思っています。
（　○　）

4)　女：　田中さん、いますか。あしたの資料を渡したいんですが……。
男：　田中さんなら、たった今帰ったところですから、まだ近くにいるはずですよ。
女：　じゃ、捜してみます。
★　田中さんは今うちにいます。　（ × ）

5）　女１：　渡辺さん、おいしいケーキがあるんだけど、どう？
女２：　ありがとう。でも、さっきごはんを食べたばかりだから……。
女１：　じゃ、あとでどうぞ。
女２：　ええ、ありがとう。
★　渡辺さんは今からごはんを食べますから、ケーキを食べません。
（ × ）

3．　１）　出かけた　２）　始まる　３）　調べている
４）　コピーしている

4．　１）　来た　２）　買った　３）　生まれた　４）　飲んだ

5．　１）　わかる　２）　医者の　３）　必要な　４）　おいしい

6．　１）　×　２）　○　３）　×　４）　×

第 47 課

1.　1）　最近のニュースを教えてください。

…例：　九州で地震があったそうです。

2）　友達にご両親はどこに住んでいるか聞いてください。

…例：　タイのバンコクに住んでいるそうです。

2.　1）　女：　ＩＭＣの漢字のソフトを知っていますか。

男：　ええ。外国人のためのソフトでしょう？

女：　とてもいいそうですね。

男：　わたしも買いたいと思っているんです。

★　女の人はＩＭＣの漢字のソフトを持っています。　（ × ）

2）　女：　グプタさんが会社をやめるそうですよ。

男：　え？ ほんとうですか。どうして？

女：　アメリカのコンピューターの会社へ行くそうです。

給料もいいそうですよ。

★　グプタさんは今の会社をやめて、アメリカのコンピューターの会社で働きます。　（ ○ ）

3）　男：　どうしたんですか。

女：　どうも道をまちがえたようです。

地図によると、ここに銀行があるはずなんですが……。

男：　そうですね。おかしいですね。

★　二人は今銀行の近くにいます。　（ × ）

4）　男：　けさのテレビを見ましたか。神戸で地震があったそうです。

女：　えっ？

男：　かなり大きかったようですよ。ビルがたくさん倒れていました。

女：　えーっ？

★　女の人はけさ神戸でひどい地震があったのを知りませんでした。

（ ○ ）

5）　女：　小川さんの息子さん、さくら大学に合格したそうよ。

男：　そりゃあ、よかった。よく勉強していたからね。
女：　何かお祝いをしないと……。
男：　うん。
★　小川さんの息子さんがさくら大学に合格したので、お祝いをあげます。　（ ○ ）

3.　1）にぎやかだ　2）遅れる　3）生まれた／男の子だ／かわいい

4.　1）よさ／便利じゃない　2）怖／優しい人だ
3）幸せ／困っている

5.　1）いない　2）来た　3）カレーの　4）古い

6.　1）ようです　2）元気だ　3）結婚するそうですね
4）故障の

7.　1）×　2）○　3）○　4）○

第 48 課

1.　1）　あなたの国では両親は子どもにどんな手伝いをさせますか。
　　　　…例：　食事の準備を手伝わせます。
　　2）　あなたは子どもにどんなことを習わせたいですか。
　　　　…例：　ピアノや水泳を習わせたいです。
　　3）　会社や学校で気分が悪くなって、早く帰りたいとき、何と言いますか。
　　　　…例：　「気分が悪いので、早退させていただけませんか」と言います。

2.　1）　男：　もしもし、太郎です。ハンス君、お願いします。
　　　　女：　ああ、太郎君。すみません。今ハンスはちょっと出かけています。
　　　　　　　帰って来たら、かけさせましょうか。
　　　　男：　はい、お願いします。
　　　　★　　ハンス君はあとで太郎君に電話をかけます。　　（ ○ ）

　　2）　男：　飛行機は何時に着きますか。
　　　　女：　あしたの午後4時半です。
　　　　男：　じゃ、娘を迎えに行かせますから、ロビーで待っていてください。
　　　　女：　すみません。お願いします。
　　　　★　　男の人は女の人を迎えに行きます。　　（ × ）

　　3）　男：　このごろ子どもたちを見ませんね。外で遊ばないんですか。
　　　　女：　ええ、学校から帰ってから、ピアノとか水泳を習いに行くんです。
　　　　男：　そうですか。
　　　　女：　わたしも娘に絵を習わせています。
　　　　★　　女の人の子どもはうちへ帰ってから、絵を習いに行きます。
　　　　　　　　（ ○ ）

　　4）　女：　あのう。
　　　　男：　何ですか。
　　　　女：　あした病院へ行かなければならないので、休ませて
　　　　　　　いただけませんか。
　　　　男：　わかりました。いいですよ。

★　女の人はあした会社へ来ないで病院へ行きます。　（ ○ ）

5）男の子：　お母さん。僕にもやらせて。
女　　：　いいわよ。じゃ、手伝って。

男の子：　わあ、できた。
女　　：　おいしそうね。
男の子：　お母さん、料理はおもしろいね。

★　男の子はお母さんといっしょに料理を作りました。　（ ○ ）

3．　1）急がせます　2）話させます　3）待たせます
4）運ばせます　5）休ませます　6）走らせます
7）洗わせます　8）いさせます　9）届けさせます
10）させます　11）来させます

4．　1）を／遊ばせます　2）に／掃除させます
3）に／手伝わせます　4）に／持って来させます

5．　1）置かせて　2）帰らせて　3）使わせて　4）止めさせて

6．　1）手伝ってもらいました　2）連れて来ていただきました
3）教えてもらいました　4）やらせていただけませんか

7．　1）荷物や人を運ぶのに便利でしたから。
2）馬より力とスピードがありますから。
3）楽しみのために競走させたり、サーカスで芸をさせたりしています。

第 49 課

1.　1）　今度の日曜日どこかいらっしゃいますか。
　　　　…例：　はい、京都へ行きます。

　　2）　きのうお出かけになりましたか。
　　　　…例：　いいえ、出かけませんでした。

　　3）　お酒を召し上がりますか。
　　　　…例：　いいえ、飲みません。

　　4）　日本大使館の電話番号をご存じですか。
　　　　…例：　いいえ、知りません。

　　5）　今晩は何をなさいますか。
　　　　…例：　友達に会います。

2.　1）　女：　はい、山田です。
　　　　男：　ミラーですが、ご主人はいらっしゃいますか。
　　　　女：　いいえ、まだ帰っていませんが。
　　　　男：　何時ごろお帰りになりますか。
　　　　女：　9時ごろになると思います。
　　　　男：　じゃ、またお電話します。
　　　　★　山田さんのご主人は9時ごろミラーさんに電話をかけます。
　　　　（ × ）

　　2）　女：　先生、最近の学生は勉強しないと言われていますが、先生はどうお考えになりますか。
　　　　男：　わたしはあまり心配していません。熱心な学生もたくさんいますよ。
　　　　★　先生は最近の学生は勉強しないと思っています。　（ × ）

　　3）　男：　どうぞここにお掛けください。
　　　　女：　すみません。ありがとうございます。
　　　　男：　いいえ。わたしは次の駅で降りますから。
　　　　★　女の人は座れました。　（ ○ ）

　　4）　男：　あのう、中村課長いらっしゃいますか。

女：　どちら様でしょうか。
男：　パワー電気のシュミットです。3時のお約束なんですが。
女：　わかりました。すぐ連絡しますので、ロビーでお待ちください。
★　シュミットさんはロビーで中村課長を待ちます。　（　○　）

5）　男：　部長はいつ出張から戻られる？
女：　今晩ニューヨークからお帰りになる予定ですけど。
男：　じゃ、あしたは会社に来られるね。
女：　ええ、午後会議がありますから、いらっしゃるはずです。
★　部長はあした会社へ来ます。　（　○　）

3.　1）　行かれます　2）　話されます　3）　戻られます
4）　なられます

4.　1）　お呼びになりました　2）　お作りになりました
3）　お忘れになりました　4）　お決めになりました

5.　1）　ご覧になりました　2）　なさいます
3）　ご存じです　4）　いらっしゃいます

6.　1）　お入りください　2）　お伝えください
3）　お書きください　4）　お掛けください（お座りください）

7.　1）　○　2）　○　3）　×　4）　×

第 50 課

1. 1) お名前は何とおっしゃいますか。
…例： マイク・ミラーと申します。

2) どちらに住んでいらっしゃいますか。
…例： 東京に住んでおります。

3) 日本語がお上手ですね。どのくらい勉強なさいましたか。
…例： 半年ぐらい勉強いたしました。

4) 日本の首相の名前をご存じですか。
…例： はい、存じております。

5) あしたお宅にいらっしゃいますか。
…例： はい、おります。

2. 1) 女： お電話、お借りしてもいいですか。
男： ええ、どうぞお使いください。こちらです。
女： じゃ、ちょっとお借りします。
★ 女の人は電話をかけます。 （ ○ ）

2) 男： 重そうですね。
女： ええ。午後の会議の資料なんです。会議室へ持って行くところです。
男： お手伝いしましょうか。
女： ありがとうございます。
★ 男の人は女の人といっしょに資料を運びます。 （ ○ ）

3) 男： はい、ＩＭＣでございます。
女： 田中と申しますが、ミラーさんはいらっしゃいますか。
男： ミラーはちょっと席を外しておりますが……。
女： そうですか。
男： すぐ戻ると思いますので、戻ったら、お電話させましょうか。
女： お願いいたします。
★ 女の人はあとでもう一度電話をかけます。 （ × ）

4) 男： きょうは山本先生に来ていただきました。これから先生が書かれた本についていろいろお話を伺いたいと思います。
では、山本先生をご紹介します。

女： 山本でございます。

★ これから女の人が書いた本について話を聞きます。 （ ○ ）

5） 女： 展覧会で先生の絵、拝見しました。
男： ありがとうございます。
女： 桜の絵、すばらしいですね。
男： わたしもあの絵がいちばん好きなんです。
★ 女の人は男の人がかいた絵を見に行きました。 （ ○ ）

3． 1） ご紹介し 2） お取り替えし 3） お送りし
4） ご連絡し

4． 1） おります 2） 存じませんでした
3） いただきます 4） 発表いたします

5． 申します／いらっしゃいます／おります／お戻りになります（戻られます）／お電話します

6． 1） × 2） × 3） ○ 4） ○

復習　F

1.　1）に　2）が　3）に　4）が　5）は／は　6）が
7）で　8）が　9）も／も　10）に　11）が　12）は
13）に／が　14）は／に

2.　1）帰ります　2）釣りです　3）痛いんです
4）行きたいんですが

3.　1）来なかった／悪かった　2）誕生日な　3）働き
4）きれいだ／ちょうどいい　5）なくして／した　6）戻して

4.　1）しまいました　2）います　3）しまいました
4）あります　5）おいて　6）いる

5.　1）壊れて／例：使えません　2）込んで／例：行けません
3）破れて／例：着られません　4）閉まって／例：出せません

6.　1）ほとんど　2）しか　3）何でも　4）いつか
5）それに／それで

復習(ふくしゅう) G

1.
1) かめる／かもう／かめ／かめば
2) 選(えら)べる／選(えら)ぼう／選(えら)べ／選(えら)べば
3) 走(はし)れる／走(はし)ろう／走(はし)れ／走(はし)れば
4) 通(かよ)える／通(かよ)おう／通(かよ)え／通(かよ)えば
5) 立(た)てる／立(た)とう／立(た)て／立(た)てば
6) 探(さが)せる／探(さが)そう／探(さが)せ／探(さが)せば
7) 続(つづ)けられる／続(つづ)けよう／続(つづ)けろ／続(つづ)ければ
8) 見(み)られる／見(み)よう／見(み)ろ／見(み)れば
9) 来(こ)られる／来(こ)よう／来(こ)い／来(く)れば
10) できる／しよう／しろ／すれば

2.
1) 帰(かえ)ろう　2) 行(い)った　3) 吸(す)う　4) 教(おし)えた
5) 読(よ)め　6) 食(た)べ　7) 働(はたら)く　8) やめる
9) した　10) 忙(いそが)しい　11) 持(も)って　12) やって
13) 新(あたら)しけれ　14) 降(ふ)る　15) 簡単(かんたん)　16) 3時(じ)からだ
17) 雨(あめ)

3.
1) c　2) a　3) c　4) a　5) b　6) a
7) c　8) a

4.
1) に／どう　2) どういう／と　3) どのくらい（いくら）／は
4) だれ／に／が　5) どう／も／も　6) どうやって／に
7) いつ／の　8) 何(なん)／と／と

復習（ふくしゅう）　H

1．　1）の　2）に／を　3）と　4）と　5）を　6）の
　　7）の　8）を　9）に　10）に／を　11）で／が
　　12）は／から　13）は／で　14）に　よって　15）に
　　16）から　17）が　18）に／を　19）を　20）で

2．　1）届く　2）心配しない　3）いなく　4）歩く
　　5）買わない　6）かく　7）はる　8）あった
　　9）読んで　10）来る　11）なくした　12）合う／着て

3．　1）います　2）開けて　3）行こう　4）読めば
　　5）「禁煙」と　6）悪いので

4．　1）着られません　2）しまいました
　　3）値段も安いし、味もいい　4）パソコンを壊されました
　　5）ベルによって発明されました　6）父が亡くなった

復習 I

1.　1）直して　2）教えて　3）とれ　4）難し
　　5）買って　6）多　7）割れ／使う　8）なる
　　9）習った　10）上手な

2.　1）半分に　2）赤く　3）詳しく　4）大切に

3.　1）に　2）を　3）の　4）に　5）に　6）も／も
　　7）に　8）で　9）に　10）に　11）が
　　12）に／は／も　13）で／に

4.　1）できるだけ　2）さっき　3）絶対に　4）一生懸命
　　5）今にも　6）ちゃんと　7）急に　8）やっと

5.　1）乾きます　2）やせます　3）下がります　4）拾います
　　5）減ります　6）失敗します　7）泣きます
　　8）卒業します　9）薄い　10）硬い　11）小さな
　　12）複雑　13）太い　14）汚い　15）まずい
　　16）つまらない　17）祖母　18）裏　19）入口　20）うそ
　　21）おじ　22）平和　23）暖房　24）復習　25）答え
　　26）西

復習 J

1. 1） が／を　2） が　3） に　4） を／に　5） に／を
   6） に

2. 1） 80歳の　2） 暇な　3） うれし　4） ダンスの先生だ
   5） 留守の　6） 悪い　7） 無理な　8） 早退させ
   9） 呼び／待ち　10） 帰り

3. 1） 探しているところ　2） 終わったところ
   3） 結婚したばかり　4） 始まるところ　5） 聞いたばかり
   6） 出たところ

4. 1） よさそうです　2） ありそうです　3） 出かけたようです
   4） 降りそうです　5） 事故のようです

5. 1） 焼かせて　2） 手伝って　3） 送らせました
   4） 教えてもらいました

6. 1） おります　2） いただきました　3） 召し上がります
   4） いらっしゃいます　5） 拝見しました　6） ご覧になりました

復習 K

1.　1）買って　2）食べられ　3）来よう（来たい）　4）食べて
5）書いて　6）書ける　7）教えて　8）来た
9）買って　10）書き　11）食べて　12）勉強すれ／勉強する
13）買う　14）来る（来られる、いらっしゃる）　15）買い
16）教えて　17）勉強して　18）食べ　19）買った
20）来

2.　1）走った　2）悪い　3）高い／楽だ　4）初めごろ
5）楽しみだ　6）雨　7）新しけれ／新しい
8）大切な　9）複雑で　10）おいしい　11）よさ
12）苦くて　13）上手な　14）中止の
15）細かく　16）幸せに

3.　1）b　2）c　3）b　4）b　5）c　6）b
7）c　8）c　9）a　10）b　11）a

4.　1）タイ語が話せます　2）親切にしてくださいました　3）出かけ
4）忘れない　5）掛けて　6）探そう　7）使うな
8）すれば　9）出られる

5.　1）たった今　2）きちんと　3）ちょうど　4）どうも
5）によると　6）絶対に　7）やっと　8）あと
9）たいてい　10）できるだけ

6.　1）それなら　2）そのうえ　3）それで
4）ところで　5）それまでに

7.　1）b　2）c　3）c　4）b　5）a　6）c
7）a　8）b